ROLLER GIRL
DZIEWCZYNA Z PASJĄ

ROLLER GIRL

DZIEWCZYNA Z PASJĄ

Autorka: Victoria Jamieson

GRUPA WYDAWNICZA K.E. LIBER
04-501 WARSZAWA, UL. PŁOWIECKA 42
TEL. 600 856 017
WWW.KELIBER.PL

TYTUŁ ORYGINAŁU: ROLLER GIRL
AUTORKA: VICTORIA JAMIESON

TŁUMACZENIE: DOROTA LACHOWICZ
SKŁAD: AGA WRYCZ

DRUK: BIAŁOSTOCKIE ZAKŁADY GRAFICZNE SA
WYDANO WARSZAWIE W 2020 ROKU

ISBN: 978-83-64853-38-8

Ogromne podziękowania dla wrotkarek Roller Derby z całego świata, które użyczyły swoich pseudonimów niektórym bohaterkom. Dedykuję ten komiks właśnie im oraz wszystkim zawodniczkom konkursów Roller Derby, ich organizatorom oraz fanom, bez których ta dyscyplina nie mogłaby istnieć. To dla mnie zaszczyt być częścią tak wspaniałej społeczności.

ROZDZIAŁ ∗ 1
Jak to się zaczęło

JEŚLI CHCECIE WIEDZIEĆ, MOJA PRZYGODA ROZPOCZĘŁA SIĘ W PIĄTEJ KLASIE, GDY JESZCZE PRZYJAŹNIŁAM SIĘ Z NICOLE.

DZIEWCZYNKI, DO SAMOCHODU.

OJ, MAMO, NIE MOŻESZ NAM POWIEDZIEĆ, GDZIE JEDZIEMY?

NIE. TO NIESPODZIANKA!

I WTEDY MAMA WYPOWIEDZIAŁA SŁOWA, KTÓRE OD ZAWSZE BUDZIŁY WE MNIE STRACH...

...DZIŚ WIECZÓR POSMAKUJEMY KULTURALNEJ ROZRYWKI!

Zobaczycie, że wam się spodoba! silne, kobiece wzory do naśladowania Macie ogromne szczęście. Kiedy byłam w waszym wieku...

PIĄTKOWY WIECZÓR NIE ZAPOWIADAŁ SIĘ WIĘC DOBRZE. MAMA NIE RAZ PROPONOWAŁA NAM „KULTURALNĄ ROZRYWKĘ".

Z DRUGIEJ STRONY, WIECZÓR ZAPOWIADAŁ SIĘ CIEKAWIE.

HEJ, JEDZIEMY DO WESOŁEGO MIASTECZKA?

NIEZUPEŁNIE

OAKS
PARK
ROZRYWKI

STANĘŁYŚMY W DŁUGIEJ KOLEJCE PEŁNEJ DZIWNYCH LUDZI.

MAMO, CHCESZ NAS ODDAĆ DO CYRKU?

PANI V., JESTEM ZA MŁODA NA CYRKOWCA!

DZIEWCZYNKI, SPOKOJNIE.

Rrrr-oller Derby?!

PRZEDSTAWIAM WAM DWIE DRUŻYNY... POWITAJCIE NASZYCH GOŚCI, WROTKARKI Z OREGON CITY!

A OTO NASZE LOKALNE BOHATERKI... RÓŻYCZKI Z ROSE CITY!

NIE WIEM, CO TO... ALE JEST DUŻO LEPSZE NIŻ GALERIA SZTUKI!

WIDZISZ? TWOJA STARA MATKA MA CZASEM DOBRE POMYSŁY.

PROWADZĄCY PRZEDSTAWIŁ UCZESTNICZKI GRY. MIAŁY SZALONE PSEUDONIMY TAKIE JAK...

WRZĄCY ORZEŁ

OSTATNI JEDNOROŻEC

JOGA NABI SARI

BEZTROSKI CHAOS

KRZYK I ŁZY

WSZYSTKIE WYGLĄDAŁY NIEBEZPIECZNIE – TROCHĘ JAK WIĘŹNIARKI Z FILMU DOKUMENTALNEGO, KTÓRY MAMA KAZAŁA MI KIEDYŚ OBEJRZEĆ.

DZIWNE WŁOSY

TATUAŻE

ŚMIESZNE STROJE

STRASZNY MAKIJAŻ

W PROGRAMIE ZNALAZŁAM NIEKTÓRE ZASADY.

W PRZERWIE GRY ZAPYTAŁYŚMY, CZY MOŻEMY USIĄŚĆ SAME NA PODŁODZE... A MAMA SIĘ ZGODZIŁA!

ALE SUPER!

MOŻE ZNAJDZIEMY MIEJSCE OBOK PRZYSTOJNYCH CHŁOPCÓW!

CHYBA NIE ROZUMIESZ, O CO TU CHODZI, NICOLE.

OTO, JAK BLISKO TORU BYŁYŚMY.

MY*

WROTKARKI

PIANKOWA BARIERA

* ZAUWAŻCIE, ŻE NA OBRAZKU NICOLE JEST SZCZĘŚLIWA. TO SIĘ NAZYWA „WOLNOŚĆ TWÓRCZA".

WIDZISZ, ŚMIEJĄ SIĘ I ŻARTUJĄ... TO JEST **GRA**!

CHYBA TAK...

PANIE I PANOWIE! W DRUGIEJ POŁOWIE ŚCIGAJĄCA TĘCZA ZMIERZY SIĘ Z NIELEGALNĄ BLONDYNKĄ! TO DWIE WYJĄTKOWO **ZAŻARTE** PRZECIWNICZKI!

OOOCH, TĘCZA DOSTAJE **POTĘŻNY** CIOS W DRUGIM OKRĄŻENIU!

OOOCH! OOOCH! OOOCH!

MRUG

MRUGNĘŁA, UŚMIECHNĘŁA SIĘ I WRÓCIŁA DO GRY!
I TAK, PANIE I PANOWIE, ZACHOWUJE SIĘ...

...PRAWDZIWA
ZWYCIĘŻCZYNI!

ZANIM SIĘ OBEJRZAŁAM...
GRA DOBIEGŁA KOŃCA!

CHODŹ JUŻ,
DZIWACZKO!

MAMA POZWOLIŁA NAM KUPIĆ
PAMIĄTKOWE KOSZULKI.

RÓŻOWA!

CZARNA!

TO PRAWDZIWY CUD,
BO ZWYKLE UNIKA TAKICH
MIEJSC JAK OGNIA.

MUZEUM
NAUKI
I PRZEMYSŁU

PIĘĆ
DOLARÓW
ZA OŁÓWEK?!
WY CHYBA
ŻARTUJECIE!

PROSZĘ, DZIEWCZYNY.
A TO NA KOSZT FIRMY!

WOW! PLAKAT
Z TĘCZĄ!

ROLLER DERBY

MOŻE POPROSICIE
JĄ O AUTOGRAF?
PATRZCIE, STOI TAM!

CO? NIE!
NIE MOGĘ!

ACHHH,
NIE! NIE MA
SZANS!

A WIDZIAŁAŚ, CO NAPISALI W PROGRAMIE? ORGANIZUJĄ OBÓZ DLA JUNIOREK ROLLER DERBY. ODBĘDZIE SIĘ LATEM.

CO?! POKAŻ MI! PROSZĘ!

ZACZYNA SIĘ W PRZYSZŁYM MIESIĄCU, PO ZAKOŃCZENIU SZKOŁY.

Hamburgery u Mo ...tland!

PĄCZKI RÓŻ
Liga Juniorek Roller Derby

OBÓZ DLA MŁODYCH WROTKAREK!

Zapraszamy dziewczynki w wieku 12–17 lat.

Jedź!
Znajdź przyjaciół!
Baw się!

23 czerwca–23 lipca
Zapisz się już teraz!

TAK WIĘC MÓJ LOS ZOSTAŁ PRZYPIECZĘTOWANY.

MIAŁAM ZOSTAĆ WROTKARKĄ.

ROZDZIAŁ ·2

NAZAJUTRZ Z SAMEGO RANA ROZPO-
CZĘŁAM NOWY ROZDZIAŁ W ŻYCIU.

NAJPIERW POWIESIŁAM NAD ŁÓŻKIEM PLAKAT TĘCZY.
TO BYŁ NAJWYŻSZY CZAS, BY ZAKRYĆ CZYMŚ SUFIT
Z NAMALOWANYM UKŁADEM SŁONECZNYM, KTÓRY
POJAWIŁ SIĘ TU, KIEDY SKOŃCZYŁAM DRUGĄ KLASĘ..

OD TEJ CHWILI ZARAZ
PO OTWARCIU OCZU I TUŻ
PRZED ICH ZAMKNIĘCIEM
MOGŁAM PODZIWIAĆ TĘCZĘ.

NASTĘPNIE SPORZĄDZIŁAM LISTĘ WSZYSTKIEGO,
CZEGO DOWIEDZIAŁAM SIĘ Z FILMÓW O SPORCIE.

1) Jeździj na
wrotkach!!!!!!!!

2) Podnoś
ciężary

3) Jedz
surowe
jajka

4) Oglądaj
więcej filmów
o sporcie

MOŻE SIĘ ZASTANAWIACIE, JAK W OGÓLE SIĘ ZAPRZYJAŹNIŁYŚMY.

WŁAŚCIWIE STAŁO SIĘ TO DZIĘKI ZAROZUMIAŁEJ RACHEL ORAZ NIEŻYWEJ WIEWIÓRCE.

RACHEL RZĄDZIŁA SIĘ JUŻ OD PIERWSZEJ KLASY.

NIECH NIKT NIE DOTYKA TEJ WIEWIÓRKI.

OD POCZĄTKU MNIE DENERWOWAŁA.

NIE JESTEŚ NASZĄ SZEFOWĄ.

POWIEDZIAŁAM, ŻE MACIE JEJ NIE DOTYKAĆ!

NIE MOŻESZ MI ROZKAZYWAĆ.

TYK

WŚCIEKLIZNA! ASTRID MA WŚCIEKLIZNĘ!

WCALE NIE!

ODSUŃCIE SIĘ, BO WAS ZARAZI.

NAJPIERW POLECI CI PIANA Z UST, POTEM ZWARIUJESZ, A NA KOŃCU **UMRZESZ**.

PO PRZERWIE SPYTAŁAM PANNĘ JUDKINS, CZY MOGĘ IŚĆ DO TOALETY.

DOBRZE SIĘ CZUJESZ? NIE WYGLĄDASZ NAJLEPIEJ.

WŚCIEKLIZNA!

JAKIEŚ 50 RAZY UMYŁAM RĘCE W GORĄCEJ WODZIE.

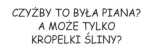

CZYŻBY TO BYŁA PIANA? A MOŻE TYLKO KROPELKI ŚLINY?

NAPRAWDĘ NIE CZUŁAM SIĘ NAJLEPIEJ. MOŻE MIAŁAM WŚCIEKLIZNĘ. MOŻE TO KONIEC.

PO CO JEJ DOTKNĘŁAM? PO CO?

NICOLE POCZEKAŁA, AŻ UMYJĘ RĘCE JESZCZE JEDEN, OSTATNI RAZ.

A POTEM PODAŁA MI CAŁĄ GARŚĆ PAPIEROWYCH RĘCZNIKÓW.

KIEDY KTOŚ URATUJE CI ŻYCIE...

...MUSICIE ZOSTAĆ NAJLEPSZYMI PRZYJACIÓŁKAMI!

ROZDZIAŁ 3

ALE WRACAJMY DO TERAŹNIEJSZOŚCI. I WROTKARSTWA. NICOLE OCZYWIŚCIE CHCIAŁA JECHAĆ, TAK JAK MÓWIŁAM.

SKATE WORLD

ZOBACZYCIE, ŻE ZOSTANĘ TIGEREM WOODSEM WROTEK.

JA BĘDĘ MICHELLE KWAN. ONA TEŻ JEŹDZI, ALE NA ŁYŻWACH, NIE NA WROTKACH.

MAMA NICOLE ODBIERZE WAS O 11:00, A PO LEKCJI BALETU NICOLE, ODWIEZIE CIĘ DO DOMU. ZADZWOŃ, JEŚLI BĘDZIESZ CZEGOŚ POTRZEBOWAĆ. TRZYMAJCIE SIĘ RAZEM!

OKI. PA, MAMO!

HEJ, TAM SĄ ADAM I KEITH!

NIE MOGŁAM SIĘ JUŻ DOCZEKAĆ JAZDY NA WROTKACH.

MAMA DAŁA MI 20 DOLCÓW. PÓJDZIEMY POTEM DO KAWIARNI?

A-HA. JASNE.

MOŻE TĘCZA BĘDZIE TU ĆWICZYĆ? MOŻE DRUŻYNA ROLLER DERBY POSZUKUJE MŁODYCH TALENTÓW?

TUP

BUM!

JAK

SIĘ

W NICH

STOI?

MUSISZ JAKBY... UGIĄĆ KOLANA. I SIĘ ODPYCHAĆ.

PRZECIEŻ **SĄ** UGIĘTE.

NICOLE JECHAŁA OBOK MNIE, ALE JA WCIĄŻ TRZYMAŁAM SIĘ BANDY.

O TO CHODZI! IDZIE CI CORAZ LEPIEJ!

MUSISZ SIĘ STRASZNIE NUDZIĆ. MOŻE SAMA CHWILĘ POJEŹDZISZ?

NO... OKEJ.

PATRZYŁAM, JAK JEDZIE CORAZ SZYBCIEJ I SZYBCIEJ. SKĄD WIEDZIAŁA, JAK TO ROBIĆ?

OBSERWOWAŁAM, JAK...

PODJEŻDŻA DO ADAMA BISHOPA?!

UUF!

PROSZĘ, NIE STÓJ PRZY BANDZIE! ZAGRADZASZ DROGĘ MOJEMU SYNKOWI.

MUSISZ BARDZIEJ UWAŻAĆ. TU JEST DUŻO DZIECI.

O, SEEERIO?

W KOŃCU DOTARŁAM DO WYJŚCIA.

NIE PYTAJCIE JAK.

WŁAŚCIWIE DOTARŁAM AŻ DO TOALET. ZAMIE- RZAŁAM KOLEJNĄ GODZINĘ SIEDZIEĆ ZAMKNIĘTA W KABINIE.

ŻADNA NOWOŚĆ.

HALO?

KUPIŁAM CI PREZENT W SKLEPIKU.

SKARPETKI W TĘCZĘ! TAKIE SAME JAK MIAŁA TĘCZA!

NICOLE POCZEKAŁA NA MNIE, KIEDY MYŁAM TWARZ I PRZETARŁAM OCZY NOWYMI SKARPETKAMI – BYŁY NIESAMOWICIE MIĘCIUTKIE.

WŁAŚNIE **TAKĄ** CUDOWNĄ PRZYJACIÓŁKĄ BYŁA NICOLE. NIESTETY, **BYŁA**.

W TRZECIEJ KLASIE RACHEL PRZENIOSŁA SIĘ DO INNEJ SZKOŁY. TO BYŁ NAJLEPSZY DZIEŃ MOJEGO ŻYCIA.

ROZDZIAŁ 4

PIERWSZE DNI WAKACJI BYŁY DOŚĆ NUDNE. MAMA ZAPISAŁA MNIE NA OBÓZ.

MOŻE CHCESZ ZAPROSIĆ NICOLE? ZAPISAŁYBYŚCIE SIĘ RAZEM.

HMM... NIE, NIE TRZEBA. NICOLE SAMA TO ZROBI.

PRZYPOMNIJ MI, ŻEBYM POROZMAWIAŁA Z JEJ MAMĄ O PODWÓZKACH.

RÓŻYCZKI Z ROSE CITY

Obóz Rollar Derby dla juniorek

KLIKAM „TAK". NA PEWNO TEGO CHCESZ?

przedstawione w umowie. Różyczki z Rose City nie ponoszą odpowiedzialności za żadne urazy.

Tak, zgadzam się.

CZY BYŁAM PEWNA? NIE UMIAŁAM JEŹDZIĆ NA WROTKACH. A NICOLE ZACHOWYWAŁA SIĘ DZIWNIE, ALE...

JESTEM PEWNA.

CHYBA.

NIE POKŁÓCIŁYŚMY SIĘ, ALE NIE CHCIAŁAM SPOTYKAĆ SIĘ Z NICOLE. I SZYBKO ZACZĘŁAM SIĘ **NUDZIĆ**.

DALEJ OGLĄDASZ TELEWIZJĘ? SIEDZISZ TUTAJ, ODKĄD WYSZŁAM RANO Z DOMU!

CÓŻ, KORZYSTAJ, PÓKI MOŻESZ. MAM SPIS RZECZY, KTÓRYCH BĘDZIESZ POTRZEBOWAĆ NA TRENINGACH.

I KUPIŁAM CI PREZENT. BO JESTEM WSPANIAŁĄ MAMĄ.

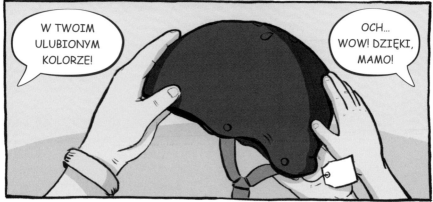

W TWOIM ULUBIONYM KOLORZE!

OCH... WOW! DZIĘKI, MAMO!

RESZTĘ SPRZĘTU WYPOŻYCZYMY – ZOSTANIE NAM TYLKO OCHRANIACZ NA TWARZ I BIDON.

MOJA MAŁA WROTKARKA. PODOBA CI SIĘ?

TAK. BARDZO MI SIĘ PODOBAŁO. NAGLE POCZUŁAM SIĘ O WIELE LEPIEJ, ALE...

MOŻE POJEDZIESZ W NIM NA ROWERZE DO DOMU NICOLE?

OCH... NIE CHCĘ GO ZNISZCZYĆ CZY COŚ.

NIE ŻARTUJ – PRZECIEŻ TO **KASK**. PRZEZ CAŁY DZIEŃ SIEDZISZ W DOMU. ZACZERPNIJ ŚWIEŻEGO POWIETRZA!

RODZICE ZAWSZE KAŻĄ NAM „ZACZERPNĄĆ ŚWIEŻEGO POWIETRZA". TAK JAKBY WYKOPANIE DZIECKA Z DOMU MIAŁO BYĆ DLA NICH NAGRODĄ.

W SUMIE NIE CHCIAŁAM...

ALE JAKOŚ TAK,

PRZEJECHAŁAM OBOK DOMU NICOLE...

CZTERY RAZY.

AŻ W KOŃCU WYSZŁA.

HEJ.

HEJ.

NIE! NIE SŁUCHASZ MNIE! CHCĘ JECHAĆ NA OBÓZ TANECZNY!

ALE... CO JA TAM ZROBIĘ BEZ CIEBIE?

PRZEPRASZAM, JA TYLKO...

NICKY!

NIE UWIERZYSZ! TWOJA MAMA PODWIEZIE NAS DO GALERII HANDLOWEJ! MINDY MÓWI, ŻE ADAM I KEITH TAM SĄ!

JEST U CIEBIE RACHEL?!

HEJ, ASTRID. WYBIERASZ SIĘ NA WOJNĘ?

TO SIĘ NAZYWA „JAZDA NA ROWERZE", IDIOTKO. SŁYSZAŁAŚ O TYM?

OOO, ALE HUMORKI. NICKY, MOŻE KUPIMY SOBIE DZIŚ TAKIE SAME TRYKOTY NA OBÓZ TANECZNY?

MOŻE... CHCIAŁABYŚ JECHAĆ Z NAMI?

PFF

NIE WIERZĘ, ŻE JĄ ZAPROSIŁAŚ! I CO MIAŁABY KUPIĆ? KOLEJNE WORKOWATE SPODNIE?

ODJECHAŁAM TAK SZYBKO, ŻE NIE USŁYSZAŁAM ODPOWIEDZI NICOLE... O ILE W OGÓLE COŚ ODPOWIEDZIAŁA.

CHYBA FAKTYCZNIE **BYŁAM** NA WOJNIE... I ZOSTAŁAM NA FRONCIE ZUPEŁNIE SAMA.

ROZDZIAŁ ★ 5

CZERWIEC

CIEKAWOSTKA: PRZYGOTOWANIA DO OBOZU WROTKARSKIEGO SĄ O WIELE MNIEJ ZABAWNE BEZ NAJLEPSZEJ PRZYJACIÓŁKI.

W KOŃCU... NADSZEDŁ CZAS.

TRZASK!

JEST MOJA WROTKARKA! (ACHH...) WYGLĄDASZ DUŻO DOROŚLEJ!

MAMA NICOLE ODWIEZIE CIĘ DO DOMU, TAK?

STOP! KOCHANI CZYTELNICY, PEWNIE DZIWICIE SIĘ, ŻE NIE WSPOMNIAŁAM MAMIE O PEWNYM BARDZO ISTOTNYM SZCZEGÓLE. ALE CO WY POWIEDZIELIBYŚCIE NA MOIM MIEJSCU?

PAUZA

„OCH, MOJA NAJLEPSZA PRZYJACIÓŁKA ZOSTAWIŁA MNIE DLA WREDNEJ IDIOTKI I TERAZ SPĘDZĘ NAJSTRA-SZNIEJSZY DZIEŃ SWOJEGO ŻYCIA CAŁKIEM SAMA". A MOŻE POWIEDZIELIBYŚCIE...

KIW

TAK, WSZYSTKO SUPER! ODWIEZIE! ODWIEZIE!

POZA TYM, PO CO MI NICOLE? PODWÓZKA? PFF, PRZECIEŻ ZNAM DROGĘ DO DOMU...

UPS

...CHYBA.

HEJ! ZAMIERZASZ STAĆ TU CAŁY DZIEŃ?

JESTEM JEDNĄ Z TRENEREK. HEIDI SZUKACZ.

ASTRID.

ASTRID VASQUEZ? MAM CIĘ NA LIŚCIE. WYPOŻYCZASZ SPRZĘT, PRAWDA? PODEJDŹ DO TAMTEGO PUDŁA I COŚ SOBIE WYBIERZ.

UM, PRZEPRASZAM, HEIDI?

TO OBÓZ DLA **JUNIOREK**, PRAWDA?

HA! NIE MARTW SIĘ. ONE TYLKO **UDAJĄ** DOROSŁE.

ALE WSZYSTKIE DZIEWCZYNY WYGLĄDAŁY JAK DOROSŁE KOBIETY!

KOLCZYKI, FARBOWANE WŁOSY, MAKIJAŻ, ...INNE ATUTY.

A GDZIE SĄ **DZIECI**?

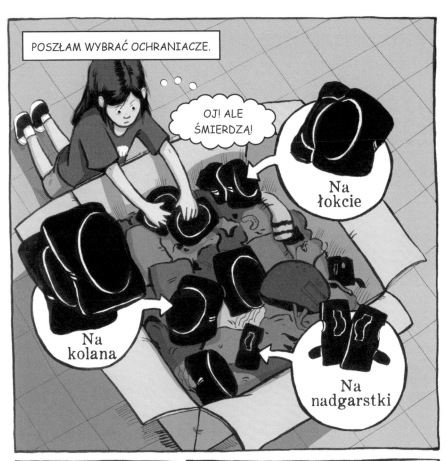

POSZŁAM WYBRAĆ OCHRANIACZE.

OJ! ALE ŚMIERDZĄ!

Na łokcie

Na kolana

Na nadgarstki

ZNALAZŁAM WROTKI, KTÓRE... W MIARĘ PASOWAŁY. PRZY POD-WÓJNYCH SKARPETKACH.

I ZAJĘŁAM MIEJSCE OBOK JEDYNEJ DZIEWCZYNY SIEDZĄCEJ SAMOTNIE.

HEJ! JESTEM ZOEY.

A JA ASTRID.

MOŻE POPRACUJ JESZCZE NAD PSEUDONIMEM, „NO... ASTRID". OKEJ, WIĘKSZOŚĆ Z WAS TRENUJE Z PĄCZKAMI RÓŻ OD DAWNA, ALE MIMO TO ZACZNIEMY OD PODSTAW.

WRRR

O NIE

O NIE

A KIEDY BĘDZIEMY SIĘ **BIĆ**?

???

NAJPIERW... UPADANIE!

Hej! Upadać **POTRAFIĘ**!

TO WAŻNE, BO KIEDY PRZEJDZIEMY DO BICIA, **PIPI**, MUSISZ WIEDZIEĆ, JAK BEZPIECZNIE UPADAĆ.

OKEJ, NA ROZGRZEWKĘ WYSTARCZY!

ROZGRZEWKĘ?

KOLEJNA SERIA! USTAWCIE SIĘ GĘSIEGO ZA NAPOLEONEM.

JESZCZE NIGDY W ŻYCIU NIE BYŁAM TAK ZMĘCZONA! JAK MAM PRZETRWAĆ KOLEJNE DWIE GODZINY?!

TY NIE, ASTRID. CHODŹ ZE MNĄ.

JEŚLI MYŚLELIŚCIE, ŻE UPADANIE NA PUPĘ RAZ ZA RAZEM JEST „FAJNE",

ŁUP

ŁUP

ŁUP

ŁUP

ŁUP

ŁUP

ŁUP

TO POZWÓLCIE, ŻE WAS OŚWIECĘ. NIE, NIE JEST.

POTRZEBUJĘ PRZERWY. JESTEM ZMĘCZONA.

...OKEJ.

MAM PRAWO DO **ODPOCZYNKU**! NIE JESTEM **MASZYNĄ**.

TO NIE **MOJA** WINA, ŻE WSZYSTKIE DZIEWCZYNY SĄ STARSZE... I LEPSZE...

SKĄD ONE WIEDZĄ, JAK TO SIĘ ROBI? CZY NICOLE I WSZYSCY INNI NA TEJ PLANECIE UCZĘSZCZALI NA JAKIŚ KURS JAZDY NA WROTKACH, KIEDY MAMA CIĄGAŁA MNIE PO MUZEACH?

ZOEY NA POCZĄTKU MIAŁA KŁOPOTY, ALE I TAK JEŹDZIŁA STO RAZY LEPIEJ ODE MNIE.

GWIZD!

ŚWIETNIE, DZIEWCZYNY! NAPIJCIE SIĘ WODY, A JA WYJAŚNIĘ WAM KOLEJNE ĆWICZENIE.

TY TEŻ, ASTRID - PODNOŚ TYŁEK! TO POTRAFI ZROBIĆ KAŻDY.

GRRR...

BĘDZIEMY TERAZ ĆWICZYĆ WYTRZYMAŁOŚĆ. POPRACUJEMY NAD WASZĄ SIŁĄ I KONDYCJĄ. PRZYGOTUJCIE SIĘ, BĘDZIE TRUDNO!

A TO NIE-SPODZIANKA.

NAZYWAMY TO **WÓZKIEM**. DOBIERZCIE SIĘ W PARY I POŁÓŻCIE DŁONIE NA PLECACH KOLEŻANKI. BĘDZIECIE JĄ POPYCHAĆ WZDŁUŻ TORU. WŁAŚNIE TAK. ROZUMIECIE? PO MINUCIE ZAMIANA.

KAŻDY MA PARTNERKĘ?

WYBACZ, ŻE MUSISZ ĆWICZYĆ ZE MNĄ. NIE BĘDĘ W TYM DOBRA.

NIKT NIE JEST W TYM DOBRY - TO TORTURY.

ASTRID, WSZYSTKO W PORZĄDKU?

GWIZD!

PRZEPRA-SZAM, NIE WIEDZIAŁAM, JAK SZYBKO JADĘ!

WSZYSCY ZAMILKLI I GAPILI SIĘ PROSTO NA MNIE. NOGI MI SIĘ TRZĘSŁY. KNYKCIE KRWAWIŁY. WIEDZIAŁAM JUŻ, ŻE JESTEM BEZNA-DZIEJNĄ WROTKARKĄ! TO PORAŻKA. POZOSTAŁO MI TYLKO JEDNO...

WAAAAHH!

HEIDI ZDJĘŁA MI WROTKI I KASK, A ZOEY PRZYNIOSŁA WOREK Z LODEM. PRZEZ RESZTĘ TRENINGU SIEDZIAŁAM NA TRYBUNACH, CZUJĄC SIĘ JAK KOMPLETNA IDIOTKA.

GDYBY BYŁA ZE MNĄ NICOLE, SIEDZIAŁABY OBOK, POCIESZAŁABY MNIE I PRÓBOWAŁA ROZŚMIESZYĆ.

WRESZCIE TRENING DOBIEGŁ KOŃCA.

DOBRA ROBOTA, DZIEWCZYNY! JUTRO O TEJ SAMEJ PORZE W TYM SAMYM MIEJSCU!

ASTRID, POCZEKAJ.

PIERWSZY DZIEŃ NA PEWNO BYŁ DLA CIEBIE TRUDNY. PAMIĘTAJ, ŻE WIELE Z TYCH DZIEWCZĄT TRENUJE Z PĄCZKAMI JUŻ OD PIĘCIU CZY SZEŚCIU MIESIĘCY. Z CZASEM BĘDZIE LEPIEJ, OBIECUJĘ.

ASTRID, JUŻ CI LEPIEJ? PRZEPRASZAM, NAPRAWDĘ...

PRZESZŁAM OBOK ZOEY, MAMROCZĄC POD NOSEM COŚ W STYLU „SDKJFMOLSDM". WIEM, ŻE TO NIEMIŁE, ALE KIEDY ŁZY ZACZNĄ JUŻ PŁYNĄĆ, TO NIE PRZESTAJĄ.

CHCIAŁAM TYLKO WRÓCIĆ DO DOMU, PAŚĆ NA ŁÓŻKO I JUŻ NIGDY NIE WSTAĆ.

30 MINUT PÓŹNIEJ MOJE MARZENIE SIĘ ZMIENIŁO – CHCIAŁAM **ODNALEŹĆ DOM.**

JESTEM **NIEMAL** PEWNA, ŻE TO TA ULICA...

TEN DOM WYGLĄDA ZNAJOMO...

ZABAWNE, JAK SZYBKO POGODNY, SŁONECZNY DZIEŃ POTRAFI ZAMIENIĆ SIĘ W PALĄCĄ SŁOŃCEM SAHARĘ.

DODAJCIE DO TEGO OBOLAŁE MIĘŚNIE I ODCISKI NA STOPACH I ZARAZ POCZUJECIE SIĘ JAK LAWRENCE Z ARABII*.

* WIECZÓR KULTURALNEJ ROZRYWKI MNIEJ WIĘCEJ W *CZWARTEJ KLASIE.* NIE POLECAM.

A DO TEGO ZWIDY...

WODA? WODA?

TEN CUDOWNY CHŁÓD KLIMATY-ZACJI I SŁODKI, FANTASTYCZNY ZAPACH SŁODYCZY I GUM.

WYDAŁAM PIENIĄDZE DANE MI „NA WSZELKI WYPADEK", BO TO BYŁ „WSZELKI WYPADEK"!

PRZYNAJMNIEJ WIEDZIAŁAM JUŻ, GDZIE JESTEM.

ZAPOMNIAŁAM O TEJ AUTOSTRADZIE...

MUSIAŁAM TYLKO ZDOBYĆ WZGÓRZE ZAWAŁOWCÓW.

...I BYŁAM W DOMU.

CMOK

PAMIĘTAM, JAK WTOCZYŁAM SIĘ DO SALONU, A POTEM...

...CIEMNOŚĆ.

ASTRID?

ASTRID, SKARBIE? OBUDŹ SIĘ, CZAS NA OBIAD!

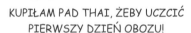

KUPIŁAM PAD THAI, ŻEBY UCZCIĆ PIERWSZY DZIEŃ OBOZU!

NO, OPOWIADAJ! JAK BYŁO? POZNAŁAŚ NOWE KOLEŻANKI? DOBRZE SIĘ BAWIŁAŚ?

SZUR, SZUR

CZEMU TAK DZIWNIE CHODZISZ?

UCHHHH, ASTRID, GDZIE TWOJE MANIERY?!

SIORB

NO WIĘC?

MAMOOO, A TAK Z CIEKAWOŚCI... CZY MOŻNA DOSTAĆ ZWROT PIENIĘDZY ZA TEN OBÓZ?

OCH, SKARBIE... BYŁO AŻ TAK ŹLE? NIE PODOBAŁO CI SIĘ?

NIE, ŻE MI SIĘ NIE **PODOBAŁO**, ALE...

A CO NA TO NICOLE? MOŻE POWINNAM POROZMAWIAĆ Z JEJ MAMĄ I SPYTAĆ, CO ONA MYŚLI...

NIE! JA... TYLKO SIĘ **ZASTANAWIAŁAM!** Z CIEKAWOŚCI. NICOLE I JA ŚWIETNIE SIĘ BAWIŁYŚMY. CUDOWNIE.

WIESZ, JUŻ SIĘ NAJADŁAM! CHYBA SIĘ NA CHWILĘ POŁOŻĘ... O ILE CI TO NIE PRZESZKADZA, NAJDROŻSZA MAMUSIU?

OSTATNIA RZECZ, KTÓRĄ ZOBACZYŁAM PRZED ZAŚNIĘCIEM, TO PRZYJACIELSKI UŚMIECH PATRZĄCEJ NA MNIE TĘCZY.

WIELKIE DZIĘKI, TĘCZO. WIELKIE... DZIĘ... ZZZZZZZZZZZZZZZZZZZZ

ROZDZIAŁ · 6

PRZED DRUGIM DNIEM OBOZU DENERWOWAŁAM SIĘ JESZCZE BARDZIEJ NIŻ PRZED PIERWSZYM. TERAZ WSZYSCY **WIEDZIELI**, ŻE JESTEM BEZNADZIEJNA.

WRÓCIŁAŚ! WIEDZIAŁAM! KILKA DZIEWCZYN MÓWIŁO, ŻE NIE PRZYJDZIESZ... ALE JA WIEDZIAŁAM. JAK SIĘ CZUJESZ?

CHYBA... OKEJ.

SŁUCHAJ, PIERWSZEGO DNIA KAŻDA Z NAS BYŁA OKROPNA. TO JAK RYTUAŁ PRZEJŚCIA.

TAK, ALE CZY KAŻDA Z WAS **PŁAKAŁA**?

ŻARTUJESZ? JA PŁAKAŁAM CAŁY **TYDZIEŃ**.

JA TEŻ!

JA TEŻ!

JA ZWYMIOTOWAŁAM PODCZAS PIERWSZYCH 50 ZABÓJCZYCH OKRĄŻEŃ. PROSTO NA TOR. NIE ZDĄŻYŁAM ZJECHAĆ NA BOK.

PAMIĘTAM! TO BYŁO PRZEZABAWNE!

MAM DLA CIEBIE PREZENT. W RAMACH PRZEPROSIN ZA WEPCHNIĘCIE CIĘ NA BANDĘ. TO CO, WYBACZYSZ MI I NIE ŚCIĄGNIESZ MI SPODNI NA TORZE W RAMACH ZEMSTY?

HEJ, NIE ZROBIŁABYM TEGO.

POZA TYM NAWET NIE MASZ SPODNI.

HA! DOBRE!

HEJ, ZOEY? CO... TO JEST?

NAKLEJKA Z HUGH JACKMANEM, OCZYWIŚCIE! SAMA OZDOBIŁAM MU WŁOSY BROKATEM.

GWIZD!

ECH... I ZNOWU SIĘ ZA- CZYNA...

CHCIAŁABYM POWIEDZIEĆ, ŻE CIĘŻKO PRACOWAŁAM I SZŁO MI CORAZ LEPIEJ...
ALE NIESTETY NADAL BYŁAM OKROPNA. KAŻDA SERIA BYŁA DLA MNIE SERIĄ UPADKÓW.

PRZEPLATANKA...

ZATRZYMANIE...

...JAZDA TYŁEM.

ŁUP

ŁUP

ŁUP

PAMIĘTAJ, JEŚLI MASZ UPAŚĆ... UPADAJ MĄDRZE!

NA DODATEK KAŻDY MORDER-CZY TRENING KOŃCZYŁAM GODZINNYM SPACEREM POD PARZĄCYM SŁOŃCEM.

O 19 PADAŁAM ZE ZMĘCZENIA. I BUDZIŁ MNIE TYLKO BÓL MOICH SINIAKÓW.

AU.

W CZWARTEK, PO KOLEJNYM „UDANYM" DNIU PEŁNYM UPADKÓW,

AUA.

ODNOSIŁAM SPRZĘT, KIEDY NAGLE TO ZOBACZYŁAM.

PRZESUNĘŁAM PUDŁO W STRONĘ SZAFEK.

ŁOO!

CZY TO NAPRAWDĘ JEJ SZAFKA?

Tęcza

ASTRID!

JA NIE... NIE CHCIA-ŁAM...

SPOKOJNIE, DZIEWCZYNO. CHCIAŁAM TYLKO POWIE-DZIEĆ, ŻE WIDZIAŁAM, JAK SZŁAŚ WCZORAJ DO DOMU.

A...TAK, MIESZKAM TUŻ OBOK, LUZIK.

ROZDZIAŁ 7

NASTĘPNEGO DNIA HEIDI OBWIEŚCIŁA NAM SWÓJ SZATAŃSKI PLAN.

DZISIAJ ZROBIMY COŚ TROCHĘ INNEGO! CHODŹCIE, POSMARUJCIE SIĘ FILTREM.

BĘDZIEMY JEŹDZIĆ NA DWORZE!

ALE TAM JEST CO NAJMNIEJ 40 STOPNI!

DOSTANĘ UDARU!

OCH, DAJCIE SPOKÓJ. NIKT NIE UMRZE.

NIE JESTEM TEGO TAKA PEWNA.

WZDŁUŻ RZEKI CIĄGNIE SIĘ ŚCIEŻKA ROWEROWA. ŻEBY DO NIEJ DOJECHAĆ, MUSIAŁYŚMY MINĄĆ WESOŁE MIASTECZKO.

GRASZ W ROLLER DERBY?

NO... TAK.

WOW! SŁYSZAŁAŚ, MAMO? ONA GRA W **ROLLER DERBY**!

PRZEZ CODZIENNE POWROTY DO DOMU PRZEZ SAHARĘ BYŁAM PRZYNAJMNIEJ ZAHARTOWANA. DZIEWCZYNY CIĄGLE STAWAŁY, ABY SIĘ NAPIĆ, WIĘC TYM RAZEM MOGŁAM ZA NIMI NADĄŻYĆ.

NA TYM ETAPIE POWINNAM CHYBA WSPOMNIEĆ O PEWNYM WAŻNYM SZCZEGÓLE NA TEMAT MOJEJ JAZDY...

OKEJ, DZIEWCZYNY, JESTEŚMY NA PIERWSZEJ GÓRCE. KLUCZEM DO ZJEŻDŻANIA W DÓŁ JEST STOSOWANIE PŁUGÓW. ZACZNIEMY POWOLI. POJADĘ PIERWSZA I ZADEMONST

...OTÓŻ TAK SIĘ SKŁADA...

...ŻE NIE POTRAFIĘ HAMOWAĆ.

AAAAAAAAAAAAAAAAA!!!!

UGNIJ KOLANA!

HAMUJ PŁUGIEM! PŁUGIEM!

BUM!

ASTRID! JESTEŚ CAŁA?

MĄDRZE UPADŁAM!

O RAJU, ALE NIESAMOWITE!

TO BYŁO **ŚWIETNE**!

DZIĘKI, ASTRID, PRAWIE DOSTAŁAM ZAWAŁU.

NIE POTRAFIĘ TEGO WYTŁUMACZYĆ... ALE POCZUŁAM SIĘ PO TYM ŚWIETNIE! SPOJRZAŁAM NIEBEZPIECZEŃSTWU PROSTO W OCZY – I PRZETRWAŁAM!

WOW, NIE WIEDZIAŁAM, ŻE MOGĘ DOJECHAĆ AŻ DO MIASTA!

JA TEŻ! ALE SUPER! PRAWO JAZDY MOGĘ ZROBIĆ DOPIERO ZA TRZY LATA... ALE TERAZ MI NIEPOTRZEBNE!

ZROBIŁYŚMY SOBIE PRZERWĘ NA LODY W PARKU NAD RZEKĄ.

STARA, WIDZIAŁAŚ, JAKI Z ASTRID DEMON SZYBKOŚCI?!

ZJEŻDŻAŁA Z TEJ GÓRKI JAK PRAWDZIWA KASKADERKA!

ALBO JAK TĘCZA!

W KOŃCU, PO WIELU TYGODNIACH, POCZUŁAM SIĘ SZCZĘŚLIWA.

MÓJ DOBRY HUMOR TRWAŁ AŻ DO KOŃCA TRENINGU.

WIESZ, CHYBA TYM RAZEM **POŻYCZĘ** WROTKI NA WEEKEND!

WSPANIALE!

MOŻE ZAMROCZYŁA MNIE RADOŚĆ PO PIERWSZYM UDANYM DNIU... A MOŻE DOSTAŁAM UDARU. ALE NAGLE WPADŁAM NA SZALONY POMYSŁ.

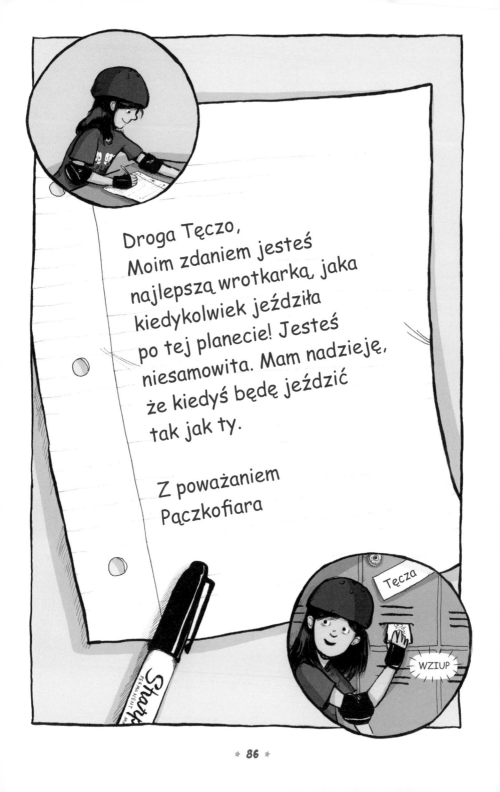

Droga Tęczo,
Moim zdaniem jesteś najlepszą wrotkarką, jaka kiedykolwiek jeździła po tej planecie! Jesteś niesamowita. Mam nadzieję, że kiedyś będę jeździć tak jak ty.

Z poważaniem
Pączkofiara

BYŁAM DUMNA Z TEJ GRY SŁÓW. PĄCZEK RÓŻY + OFIARA = PĄCZKOFIARA!

JEDZIESZ DO DOMU NA WROTKACH? SUPER! TEŻ KIEDYŚ POJADĘ! MIŁEGO WEEKENDU, KASKADERKO!

NAWZAJEM!

NA WROTKACH DO DOMU DOTARŁAM O 30 MINUT SZYBCIEJ! I NAWET NIE MUSIAŁAM ZATRZYMYWAĆ SIĘ PO NAPÓJ.

NO, POZA TYM WYDAŁAM JUŻ MOJE 10 DOLCÓW.

FAJNIE BYŁO MIEĆ WROTKI NA CAŁY WEEKEND! ĆWICZYŁAM HAMOWANIE...

T-STOPEM

PŁUGIEM

NAWET Z OBROTEM (DZIĘKI KANAPIE).

ROZDZIAŁ 8

WIERZCIE LUB NIE, ALE W PONIEDZIAŁKOWY PORANEK NIE MOGŁAM DOCZEKAĆ SIĘ TRENINGU!

DZIEŃ DOBRY, KOCHANA MAMO! CÓŻ ZA PIĘKNY DZIEŃ! GOTOWA DO WYJŚCIA?

DZIEŃ DOBRY, SŁONECZKO!

UCHHHHH! A CO TAK ŚMIERDZI?!

CZYŻBYŚ PRZEZ WEEKEND TRZYMAŁA TĘ KOSZULKĘ W ŚMIETNIKU?!

NIE! W SWOIM POKOJU!

PRZEPOCONE OCHRANIACZE

STARE SKARPETY

KOSZULKA

NIE ŚMIERDZI **AŻ TAK** BARDZO!

SŁUCHAJ, GIMNAZJALIŚCI POTRAFIĄ BYĆ OKRUTNI – ZWŁASZCZA GDY KTOŚ ŹLE PACHNIE. PRZY OKAZJI PRZYPOMNIAŁAŚ MI, ŻE MUSZĘ CI KUPIĆ DEZODORANT.

ALE MAMOOOO!

KIEDYŚ MI PODZIĘKUJESZ. A TERAZ IDŹ, ZAŁÓŻ COŚ CZYSTEGO.

ALE JA **NIE MAM** NIC CZYSTEGO!

TO NIE MOJA WINA. JEŚLI NIE WRZUCISZ BRUDNYCH UBRAŃ DO KOSZA, TO ICH NIE WYPIORĘ. POZA TYM MASZ CAŁE PUDŁO UBRAŃ OD PANI KEMP. NIE WIDZIAŁAM, ŻEBYŚ MIAŁA NA SOBIE COKOLWIEK Z NICH!

MOŻE DLATEGO, ŻE NIE JESTEM DALTONISTKĄ?

POCZEKAM W SAMOCHODZIE. MASZ PIĘĆ MINUT.

WRRR

PANI KEMP PRACUJE Z MOJĄ MAMĄ. ZAWSZE ODDAJE MI UBRANIA, Z KTÓRYCH WYROSŁA JEJ CÓRKA.

PODOBNO BRITTNEY MA 13 LAT... NIE WIERZĘ.

SERIO, JAKA TRZYNASTOLATKA SIĘ TAK UBIERA?

Princess

Purr-fect!

NIGDY NIE ZAŁOŻĘ NIC RÓŻOWEGO, WIĘC 98% TYCH UBRAŃ ODPADA.

WYBRAŁAM GUSTOWNY*, ZIELONY STRÓJ IRLANDZKIEGO SKRZATA.

BIIIP BIIIP!

* TO ŻART.

ALE ŁADNIE! MIŁO CHOĆ RAZ ZOBACZYĆ CIĘ W JAKIMŚ INNYM KOLORZE INNYM NIŻ CZARNY.

WRRR

JESTEŚ TAKA WYBREDNA, ŻE W TYM ROKU POWINNYŚMY WYBRAĆ SIĘ NA SZKOLNE ZAKUPY NIECO WCZEŚNIEJ. GIMNAZJUM TO NIE PRZELEWKI. ODŁOŻYŁAM TROCHĘ PIENIĘDZY, ŻEBY KUPIĆ CI NOWE, ŚWIETNE UBRANIA!

CO ZA RADOŚĆ.

NA MOJEJ LIŚCIE ULUBIONYCH ZAJĘĆ KUPOWANIE UBRAŃ BYŁO NIEMAL NA OSTATNIM MIEJSCU.

* Plombowanie zębów.

* Utknięcie w zepsutej windzie z Rachel.

* Kupowanie ubrań.

* Bycie zjedzoną przez rekina.

NIE ROZUMIEM, DLACZEGO LUDZIE LUBIĄ PRZYMIERZAĆ MILIONY CIUCHÓW W CIASNYCH, GORĄCYCH PRZYMIERZALNIACH.

PAMIĘTACIE, JAK RANO CIESZYŁAM SIĘ NA TEN DZIEŃ?

NIECH ŻYJE IRLANDIA!

SKRZACIE, GDZIE MASZ GARNIEC ZŁOTA?!

MOŻE JEDNAK KONICZYNKA PRZYNIOSŁA MI SZCZĘŚCIE, BO SPOJRZAŁAM NA SZAFKĘ TĘCZY, A TAM...

CZY TO...?

DO PACZKO- FIARY

Trzymaj się. I powtarzaj za mną: Twarda, ~~Silna,~~ Nieustraszona!

Podpisano: Tęcza

MOŻE MÓJ LOS SIĘ ODMIENI!

GWIZD! GWIZD!

SŁUCHAJCIE, DZIEWCZYNY! MAM ŚWIETNE WIEŚCI. NIEKTÓRE Z WAS PEWNIE WIEDZĄ, ŻE RÓŻYCZKI GRAJĄ W PRZYSZŁYM MIESIĄCU Z DRUŻYNĄ Z SEATTLE.

ZAWODNICZKI CHCĄ, ŻEBY PĄCZKI RÓŻ ROZEGRAŁY MINIMECZ W PRZERWIE ICH MECZU. MAJĄ NADZIEJĘ PRZYCIĄGNĄĆ NOWE DZIEWCZYNY DO JUNIOREK. CO WY NA TO?

SUPER!

WOW! NAPRAWDĘ?

GRA BĘDZIE WYGLĄDAĆ NIECO INACZEJ NIŻ ZWYKLE. POTRWA TYLKO PÓŁ GODZINY, WIĘC W OBU DRUŻYNACH BĘDZIE PO OSIEM ZAWODNICZEK.

ZA TYDZIEŃ CZY DWA PODZIELIMY WAS NA DWIE DRUŻYNY. CHCIAŁYBYŚMY, ŻEBYŚCIE WSZYSTKIE ZAGRAŁY, ALE KILKA Z NOWYCH WROTKAREK...

CÓŻ, OCENIMY WASZE UMIEJĘTNOŚCI, ŻEBY ZOBACZYĆ, CZY TO DLA WAS BEZPIECZNE.

O RAJUNIU! PRAWDZIWA GRA!

DLATEGO DZIŚ ZACZNIEMY UCZYĆ SIĘ STRATEGII GRY. A TO OZNACZA...

UDERZANIE!

OKEJ, DZIEWCZYNY, NA TOR! ROZGRZEWAMY SIĘ.

ASTRID...

ROZMAWIAŁAM Z DRUGĄ TRENERKĄ. SZCZERZE MÓWIĄC, NIE JESTEŚMY PEWNE, CZY JESTEŚ JUŻ GOTOWA NA MECZ. ZOBACZYMY, JAK CI PÓJDZIE W NASTĘPNYCH TYGODNIACH, I WTEDY PODEJMIEMY DECYZJĘ.

A-HA!

NIE MOŻEMY RYZYKOWAĆ, ŻE STANIE CI SIĘ KRZYWDA. ALBO KOMUŚ INNEMU. MOŻE TO JESZCZE NIE JEST TWÓJ CZAS.

A-HA!

JEŚLI NIE BĘDZIESZ GOTOWA, NIE MARTW SIĘ. ĆWICZ DALEJ Z PĄCZKAMI. BĘDZIESZ MIAŁA WIELE OKAZJI, ŻEBY ZAGRAĆ. WIESZ, CO MAM NA MYŚLI?

A-HA!

ZAGRAM W SWOIM PIERWSZYM MECZU!

OKEJ, ROZGRZANE? TO DOBIERZCIE SIĘ W PARY Z OSOBĄ NAJBLIŻEJ WAS.

POĆWICZYMY TERAZ UDERZENIA.

ZACZYNAMY, STOJĄC PROSTO. UGNIJCIE KOLANA, DO POZYCJI DERBOWEJ. STAŃCIE BLISKO PARTNERKI I...

...**WYPCHNIJCIE** BIODRO W BOK! TO PODSTAWOWY CIOS BIODREM.

ŻADNYCH ŁOKCI, KOPANIA ANI CIOSÓW W GŁOWĘ. TO NIEDOZWOLONE RUCHY, ZA KTÓRE TRAFICIE NA KARNĄ ŁAWKĘ.

WALCZYMY RAZEM, PROSIACZKU.

TWARDA. SILNA.

NIEUSTRASZONA.

JEŚLI BĘDZIECIE ODGRYWAĆ SOBIE TĘ SCENKĘ W KÓŁKO PRZEZ OKOŁO 2 GODZINY, DOWIECIE SIĘ, JAK MINĄŁ MI PORANEK.

GWIZD! GWIZD!

DOBRA ROBOTA, DZIEWCZYNY! ŚWIETNIE WAM POSZŁO, WIĘC DZISIEJSZY TRENING ZAKOŃCZYMY GRĄ...

W OSTATNIĄ DZIEWCZYNĘ NA TORZE!

TAK!

?

HURRA!

ZASADY SĄ PROSTE. JEŹDZIMY WSZYSTKIE RAZEM, POPYCHANIE JEST DOZWOLONE. KAŻDY, KTO SIĘ PRZEWRÓCI, ODPADA. A WYGRYWA OCZYWIŚCIE OSTATNIA DZIEWCZYNA NA TORZE.

ŻADNYCH NIEDO-ZWOLONYCH RUCHÓW, BO WYLĄDUJECIE NA ŁAWCE!

OKEJ. PORANEK NIE MINĄŁ MI NAJLEPIEJ... ALE TERAZ MOGŁAM TO ODROBIĆ! GDYBYM ZOSTAŁA OSTATNIĄ DZIEWCZYNĄ NA TORZE, TRENERKI **MUSIAŁYBY** PRZYZNAĆ, ŻE...

ŁUP!

ODPADASZ, ASTRID!

...NO TO ZOSTAŁAM PIERWSZĄ DZIEWCZYNĄ POZA TOREM.

CZEMU ONE WSZYSTKIE SĄ W TYM ŚWIETNE? SĄ TWARDE. WALECZNE. A JA... SIEDZĘ NA ŁAWCE, WYGLĄDAM JAK GŁUPI, ZIELONY SKRZAT I...

ACH, MUSZĘ BYĆ TWARDSZA! SILNIEJSZA! MUSZĘ...

...I NAGLE MNIE OŚWIECIŁO. JAK REFLE-KTORY CIĘŻARÓWKI. TO OCZYWISTE!

MUSZĘ POFARBOWAĆ WŁOSY.

PO TRENINGU ZROBIŁAM PIERWSZY KROK.

ZOEY? MOGĘ O COŚ... TEN, NO... CZYM...

CZYM FARBUJESZ WŁOSY?

OOO, CHCESZ POFARBOWAĆ WŁOSY? NA JAKI KOLOR?

NIE WIEM. TYLKO SIĘ ZASTANAWIAM.

O BOZIU! JESTEM **KRÓLOWĄ** FARB DO WŁOSÓW! MOGĘ CIĘ UFARBOWAĆ? PROSZĘ! ROBISZ COŚ DZISIAJ? PRZYJDŹ DO MNIE!

ZNACZY, ŻE JUŻ TERAZ?

TWARDA. SILNA. NIEUSTRASZONA!

...OKEJ!

SUPER! JEŹDZISZ DO DOMU NA WROTKACH? TO POJEDZIEMY DO MOJEGO! MIESZKAM BLISKO, BEZ OBAW. MOŻESZ ZADZWONIĆ DO MAMY ODE MNIE.

DZIWNIE TO ZABRZMI, ALE NIE PAMIĘTAM, KIEDY OSTATNIO BYŁAM U KOGOKOLWIEK POZA NICOLE.

DZIWNE JEST TEŻ TO, ŻE NAGLE STAŁAM SIĘ NERWOWA. PRZY NICOLE NIGDY SIĘ NIE BAŁAM, ŻE NIE BĘDZIEMY MIAŁY O CZYM ROZMAWIAĆ. ALE ZOEY BYŁA OTWARTA I KOLEŻEŃSKA... CZEMU CHCIAŁA SIĘ ZE MNĄ ZADAWAĆ? O CZYM MIAŁYŚMY ROZMAWIAĆ?

NA SZCZĘŚCIE MÓWIŁA GŁÓWNIE ONA.

CIESZYSZ SIĘ NA TEN MECZ? DALEJ NIE MOGĘ W TO UWIERZYĆ! MAM NADZIEJĘ, ŻE POZWOLĄ MI ZAGRAĆ.

TRENUJĘ Z PĄCZKAMI JUŻ TRZY MIESIĄCE, ALE NADAL NIE JESTEM ZBYT DOBRA. NIGDY DOTĄD NIE GRAŁAM.

TRENERKI MÓWIĄ, ŻE MUSZĘ SIĘ BARDZIEJ ANGAŻOWAĆ, ALE PO LEKCJACH MAM KÓŁKO TEATRALNE. POZA TYM NIGDY NIE BĘDĘ TAKA DOBRA JAK HEIDI SZUKACZ, GRAWZAPARTE ALBO...

...ALBO TĘCZA?

OJEJ, ONA JEST CU-DO-WNA, CO NIE? TO MOJA ULUBIONA WROTKARKA!

JECHAŁYŚMY JESZCZE KAWAŁEK. NIGDY WCZEŚNIEJ NIE BYŁAM W TEJ CZĘŚCI MIASTA.

OKEJ, WAŻNY PRZYSTANEK! NAJWSPANIALSZE MIEJSCE NA ZIEMI, W KTÓRYM SPEŁNI SIĘ KAŻDE NASTOLETNIE MARZENIE...

SŁODYCZE! CZASOPISMA! KLAPKI! MODNE OKULARY! TO MAGICZNA KRAINA, RAJ!

I CO NAJWAŻNIEJSZE...

NIE CHCEMY NIC Z NAPISEM „NATURALNIE", „ŁATWO" ANI „ZDROWO".

CZYLI „NATURALNY, PROMIENNY KASZTAN" ODPADA?

HA! ALBO „SŁONECZNY BLOND". CZYLI: „HEJ, JESTEM CHEERLEADERKĄ!".

NO, TEGO WŁAŚNIE SZUKAMY!

MEGA SZOK

PORAŻ KOLOREM

PYTANIE TYLKO... JAKI KOLOR WYBRAĆ?

OGNISTA CZERWIEŃ?

TAJEMNICZY POMARAŃCZ?

TURKUSOWA TRAUMA?

FIOLETOWA FANTAZJA?

ZABÓJCZA ZIELEŃ?

RÓŻOWY FLAMING?

CZARNA DZIURA?

KOSMICZNY BŁĘKIT?

MOŻE... MOŻE KOSMICZNY BŁĘKIT!

ŚWIETNY WYBÓR! ILE MASZ PIENIĘDZY?

MAM 10 DOLCÓW NA WAŻNE WYDATKI.

FARBA DO WŁOSÓW TO **JEST** WAŻNY WYDATEK! JA MAM 7. WYSTARCZY, ŻEBY KUPIĆ JESZCZE KILKA NIEZBĘDNYCH RZECZY DO TEGO ARCYWAŻNEGO PRZEDSIĘWZIĘCIA.

URATUJĄ NAM ŻYCIE! TO WAŻNE WYDATKI!

NO, A CO NA TO TWOJA MAMA?

GDYBY NIE CHCIAŁA, ŻEBYM FARBOWAŁA WŁOSY, TO NIE ZABRAŁABY MNIE NA ROLLER DERBY, NO NIE?

TWOJA MAMA NIE BĘDZIE ZŁA, ŻE PRZYSZŁAM? POZWALA CI ZAPRASZAĆ KOGOŚ, KIEDY JESTEŚ SAMA W DOMU?

OCH, NIE BĘDZIEMY SAME. **NIGDY NIE JESTEM SAMA.**

UCH, TO **TROSZKĘ** PRZERAŻAJĄCE.

JAK ŚMIESZ OBRAŻAĆ MOJEGO CHŁOPAKA?! NIE SŁUCHAJ JEJ, SKARBIE – PEWNEGO DNIA UJAWNIMY NASZĄ MIŁOŚĆ.

TWÓJ CHŁOPAK TO WOLVERINE?

TAK, MÓJ CHŁOPAK TO HUGH JACKMAN. WOLĘ GO W *NĘDZNIKACH*, ALE Z TEGO FILMU NIE SPRZEDAJĄ SZABLONÓW DO WYCIĘCIA, WIĘC ZDOBYŁAM TEN.

OKEJ, CO MY TU MAMY...

ŁUP

WOOOW.

TO CI NIEPOTRZEBNE. DOSKONALE WIEM, CO ROBIĆ.

SZARP

OSTRZEŻENIA

INSTRUKCJA

ZRELAKSUJ SIĘ. TO NIE BOLI.

KLIK

OKEJ, MASZ TAK CIEMNE WŁOSY, ŻE NAJPIERW JE UTLENIMY.

UTLENIMY? NIE WSPOMINAŁAŚ NIC O **UTLENIACZU!**

ALE **MUSIMY**! INACZEJ TYLKO STRACIMY CZAS, BO NIE BĘDZIE NIC WIDAĆ! ZAUFAJ MI, ĆWICZYŁAM TO NA SOBIE MILION RAZY.

CHCESZ FARBOWAĆ CAŁE? CZY TYLKO PASEMKA?

TWARDA. SILNA. NIEUSTRASZONA.

CO MI TAM, IDŹMY NA CAŁOŚĆ!

ŚWIETNIE! BĘDZIESZ WYGLĄDAĆ ZJAWISKOWO!

POŁÓŻ RĘCZNIK NA PLECACH. LUBISZ TĘ KOSZULKĘ? MOŻE SIĘ ZNISZCZYĆ...

BŁAGAM, NIECH SIĘ ZNISZCZY.

CZEKAJ! NO... NIE POWINNAŚ ZROBIĆ TESTU NA JEDNYM KOSMYKU?

MÓWIŁAM, ŻEBYŚ NIE CZYTAŁA TEJ INSTRUKCJI!

TEN SMRÓD RANI MI OCZY!

TO NORMALNE. O NIC SIĘ NIE MARTW.

TU JEST NAPISANE, ŻE UTLENIENIE TAK CIEMNYCH WŁOSÓW MOŻE ZAJĄĆ GODZINĘ.

OBEJRZYJMY W TYM *CZASIE* INSPIRUJĄCY FILM!

HEJ, WIDZIAŁAM GO! MAMA MI KAZAŁA PODCZAS WIECZORU „NASZEGO DZIEDZICTWA KULTUROWEGO Z PUERTO RICO".

CZY COŚ.

WEST SIDE STORY

POCHODZISZ Z PUERTO RICO?

NIE, TYLKO MOJA MAMA I DZIADKOWIE.

ALE MASZ SZCZĘŚCIE! JESTEŚ JAK MARIA! MARZĘ O TYM, BY ZAGRAĆ ANITĘ NA BROADWAYU!

NAPRAWDĘ LUBISZ TEATR, CO?

TAK. CHCĘ STUDIOWAĆ AKTORSTWO. W TYM ROKU GRAŁAM W SZKOLNYM PRZEDSTAWIENIU. WYSTAWIALIŚMY TOMKA SAWYERA. BYŁAM TYLKO W CHÓRZE, ALE MIAŁAM JEDNĄ KWESTIĘ: „DO JASKINI!".

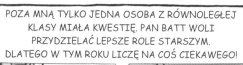

POZA MNĄ TYLKO JEDNA OSOBA Z RÓWNOLEGŁEJ KLASY MIAŁA KWESTIĘ. PAN BATT WOLI PRZYDZIELAĆ LEPSZE ROLE STARSZYM. DLATEGO W TYM ROKU LICZĘ NA COŚ CIEKAWEGO!

TU JEST PROGRAM.

GIMNAZJUM CEDAR PARK PRZEDSTAWIA

TOMEK SAWYER

MUSICAL

NIE WIEDZIAŁAM, ŻE *PRZYGODY TOMKA SAWYERA* TO MUSICAL.

A SPÓJRZ, KTO GRAŁ GŁÓWNĄ ROLĘ! BRAD RILEY. CZY NIE JEST CUDNY? PATRZ, NAWET PODPISAŁ MÓJ PROGRAM: „DLA NAJLEPSZEJ DZIEWCZYNY W PRZEDSTAWIENIU. JESTEŚ SUPER!".

AAACH... SZKODA, ŻE W TYM ROKU IDZIE DO LICEUM. ALE TWOJEGO MIEJSCA I TAK BY NIE ZAJĄŁ, HUGH.

NO, A TY? KIM TY JESTEŚ W SWOJEJ SZKOLE?

PRZEZ TO, JAK DUŻO MÓWIŁA ZAPOMNIA-ŁAM, ŻE CZASEM TRZEBA ODPOWIADAĆ.

„KIM JESTEM"?

NO WIESZ, W OCZACH INNYCH? Z CZEGO JESTEŚ ZNANA? NA MNIE MÓWIĄ „AKTORKA", BO UWIELBIAM TEATR. A JAK CIEBIE NAZYWAJĄ?

MIAŁAM W ŻYCIU TYLKO JEDNO, NIEZBYT MIŁE PRZEZWISKO.

"WŚCIEKLIZNA"

NO CO TY? HAHAHAHA! PRZEPRASZAM, ALE TO **OKROPNE**! KTO TO WYMYŚLIŁ?!

NIETRUDNO ZGADNĄĆ, KTO **TO** WYMYŚLIŁ. JAKA INNA DEMONICZNA DRUGOKLASISTKA MOGŁA BYĆ TAK WREDNA?

OD DRUGIEJ KLASY NIKT JUŻ MNIE TAK NIE NAZYWA. TERAZ JESTEM... NO... HMM...

TO DZIWNE. KAŻDY W MOJEJ KLASIE BYŁ Z CZEGOŚ ZNANY.

PIŁKARZ: BRENDAN

MAŁA GENIUSZKA: ELEANOR

OFERMA: SETH

POPULARNE DZIEWCZYNY/PRZYSZŁE CHEERLEADERKI:

SOPHIA

GRACE

ROBERTA

KONIARA: AMY

DZIWNIEJSZA KONIARA: JOHANNA

ŚMIESZEK: THEO

I NAGLE UŚWIADOMIŁAM SIĘ, KIM BYŁAM. „NAJLEPSZĄ PRZYJACIÓŁKĄ NICOLE".

JA CHYBA... NIE JESTEM Z NICZEGO ZNANA.

JUŻ NIE.

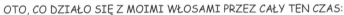

OTO, CO DZIAŁO SIĘ Z MOIMI WŁOSAMI PRZEZ CAŁY TEN CZAS:

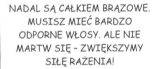

NADAL SĄ CAŁKIEM BRĄZOWE. MUSISZ MIEĆ BARDZO ODPORNE WŁOSY. ALE NIE MARTW SIĘ – ZWIĘKSZYMY SIŁĘ RAŻENIA!

NAŁOŻYŁA MI NA GŁOWĘ JESZCZE WIĘCEJ UTLENIACZA, A POTEM WŁOŻYŁA MI CZEPEK KĄPIELOWY, TWIERDZĄC, ŻE DZIĘKI CIEPŁU WŁOSY UTLENIĄ SIĘ SZYBCIEJ.

WŁOSY MI NIE WYPADNĄ PRZEZ TEN ROZJAŚNIACZ, CO?

NIE ODPOWIEDZIAŁA. TO BYŁO NIEPOKOJĄCE.

CO 10 MINUT ZAGLĄDAŁA POD CZEPEK
I ROBIŁA TAJEMNICZE KOMENTARZE:

W POŁOWIE FILMU ZDECYDOWAŁA,
ŻE JUŻ WYSTARCZY.

HEJ, SPOKOJNIE! JUŻ DOBRZE! ODDYCHAJ... TYLKO NIE ZA GŁĘBOKO, NIE WCIĄGAJ OPARÓW. TO TYLKO PRZEJŚCIOWE, OKEJ?

POŁÓŻ TU GŁOWĘ I SIĘ ODPRĘŻ. JESTEŚ TERAZ W SZOKU, ALE TO NORMALNE.

OKEJ, SIADAMY.

ACHHHHHHH.

MÓWIŁA DO MNIE TAK, JAKBYM WŁAŚNIE PRZESZŁA TRAUMĘ.

A TERAZ DODAMY NIEBIESKĄ FARBĘ. OD RAZU LEPIEJ!

RZECZYWIŚCIE - OD RAZU LEPIEJ! MOJE WŁOSY ZNÓW BYŁY CIEMNE.

WYGLĄDA TAK SAMO, JAK MÓJ NATURALNY KOLOR.

TO DLATEGO, ŻE SĄ MOKRE. ALE ZOBACZYSZ RÓŻNICĘ! TĘ FARBĘ POTRZYMAMY 30 MINUT.

WIESZ CO? SKORO CZEKAMY, TO ZROBIĘ SOBIE KILKA RÓŻOWYCH PASEMEK.

WOW, MOGŁABYŚ OTWORZYĆ SKLEP Z KOLOROWYMI FARBAMI!

NO NIE? PODOBNO NIE POWINNO SIĘ ZACHOWY-WAĆ RESZTEK FARBY, ALE JA ZAWSZE TO ROBIĘ.

PROSZĘ, NAKŁADAJ! TYLKO NA GRZYWKĘ.

SKORO MAMY ZAGRAĆ W PRAWDZIWYM MECZU, MUSIMY MIEĆ PSEUDONIMY. JA CHYBA ZDECYDUJĘ SIĘ NA NĘDZNICZKĘ – *NĘDZNICY* TO MÓJ ULUBIONY MUSICAL WSZECHCZASÓW! A TY JAK SIĘ NAZWIESZ?

NIE WIEM... TO TAKA WAŻNA DECYZJA.

MOGŁAM WYBRAĆ, JAK SIĘ NAZWAĆ? SZKODA, ŻE NIE POZWOLONO MI NA TO 12 LAT WCZEŚNIEJ. NIE WIEM, CZEMU MAMA WYBRAŁA ASTRID. TO DZIWNE IMIĘ... JAKBY TU JE FAJNIE PRZEROBIĆ?

LEPIEJ MYŚL SZYBKO. MASZ TYLKO PARĘ TYGODNI!

NIE MARTW SIĘ, PRZYZWYCZAI SIĘ! W KOŃCU NIE PRZEKŁUŁAŚ SOBIE NOSA ALBO...

HEJJJJJJJJ, MAM **POMYSŁ**...

NIE.

TYLKO POSŁUCHAJ!

WEŹMIEMY SPINACZ, ZEGNIEMY GO, O TAK, PRZETNIEMY...

GOTOWE! SZTUCZNY KOLCZYK DO NOSA!

TYM **NAPRAWDĘ** JĄ WKURZYSZ! A POTEM POWIESZ: „SPOKOJNIE, JEST SZTUCZNY!". DZIĘKI TEMU NIE BĘDZIE TAKA ZŁA ZA TWOJE WŁOSY.

TO... CAŁKIEM GENIALNY POMYSŁ!

DZIĘKUJĘ, DZIĘKUJĘ. ALE CZEKAJ, JEST JESZCZE COŚ...

HEJ, MAMO. MOGĘ ZOSTAĆ U NICOLE TROCHĘ DŁUŻEJ? JEJ MAMA MNIE ODWIEZIE.

PRZEZ KOLEJNĄ GODZINĘ SIEDZIAŁYŚMY W ŁAZIENCE.

TRZASK!

STUK!

ŁUP!

A GDY SKOŃCZYŁYŚMY, ODWIÓZŁ MNIE SZESNASTOLETNI BRAT ZOEY, DANNY.

...I **TO** SIĘ NAZYWA RUSZYĆ Z PISKIEM!

HEJ, MOŻEMY WEJŚĆ DO ŚRODKA I POSŁUCHAĆ, JAK MAMA SIĘ NA CIEBIE WYDZIERA?

DANNY! PRZESTAŃ. ONA SIĘ DENERWUJE!

OKEJ, OKEJ, NIE MUSIMY WCHODZIĆ. BĘDZIE SŁYCHAĆ AŻ TU!

PA, ASTRID! DO ZOBACZENIA JUTRO! POWODZENIA!

ZARAZ SIĘ ZACZNIE...

ASTRID, TO TY?

PO CO CI ŚWIATŁO, MAMO? POWINNYŚMY ZACZĄĆ OSZCZĘDZAĆ PRĄD.

KLIK

(OCHH) ASTRID, NIE WYGŁUPIAJ SIĘ. PRÓBUJĘ CZYTAĆ.

KLIK

AAAAAAAAA!

TWOJA TWARZ! TWOJA ŚLICZNA, ANIELSKA BUZIA!

MAMO, **MAMO**! SPOKOJNIE! NIE SĄ PRAWDZIWE!

OCH, DZIĘKI BOGU!

ALE ZA TO MOJE **WŁOSY**...

AAAAA!

ROZDZIAŁ ★ 9

PRZEŻYŁAŚ!

MAMA BYŁA SZCZĘŚLIWA, ŻE NIE ZROBIŁAM TATUAŻU. I KAZAŁA MI PO WAKACJACH ZAFARBOWAĆ WŁOSY NA NORMALNY KOLOR, ŻEBY NAUCZYCIELE „CZEGOŚ SOBIE NIE POMYŚLELI", COKOLWIEK TO ZNACZY.

A CO BY POMYŚLELI? ŻE JESTEŚ SUPER?

WŁAŚNIE! POMYŚLELIBY DOKŁADNIE TO!

GWIZD GWIZD!

DZIEWCZYNY, SŁUCHAJCIE! WCZORAJ PODCZAS ĆWICZEŃ Z UDERZANIA NIE WIDZIAŁAM W WAS OGNIA!

GRAJĄC W ROLLER DERBY, MUSICIE BYĆ WALECZNE! POZA TOREM MOŻECIE SIĘ PRZYJAŹNIĆ, ALE NA TORZE? NA TORZE NIE MA PRZYJAŹNI!

TO ĆWICZENIE NAZYWAMY „BOJOWĄ MINĄ".

USTAWCIE SIĘ W SZEREGU...

HA! TYM RAZEM NIE STANĘ PIERWSZA!

ZWROT! OSTATNIA OSOBA BĘDZIE JECHAĆ JAKO PIERWSZA. CZYLI TY ZACZYNASZ, ASTRID!

KURCZĘ!

BĘDZIECIE JECHAĆ SLALOMEM POMIĘDZY RESZTĄ DZIEWCZYN. ZA KAŻDYM RAZEM, GDY BĘDZIECIE KTÓRĄŚ MIJAĆ...

...CHCĘ, ŻEBYŚCIE POPATRZYŁY PRZECIWNICZCE W OCZY I POKAZAŁY JEJ SWOJĄ BOJOWĄ MINĘ! TAK JAK JA.

RRRRRRR! RRRRRRR! RRRRRRR!

SZUUU SZUUU SZUUU

OKEJ, ZACZYNAMY!

ASTRID, NA GWIZDEK...

GWIZD!

RRRRRRR! (HIHIHI)

SZUUU

RRRRGGGH! (HEHEHE)

RRRRRRR! (HIHIHI)

SZUUU

SZUUU

GWIZD GWIZD!

ASTRID, CZEKAJ! TO NAZYWASZ **BOJOWĄ MINĄ**?! NIE PRZESTRASZY- ŁABYŚ SZCZE- NIACZKA!

DZIEWCZYNY, TO NIE SĄ ŻARTY! W TEJ GRZE MUSICIE DAĆ Z SIEBIE WSZYSTKO. NIE MOŻECIE SIĘ WSTYDZIĆ. POKAŻCIE MI OGIEŃ ALBO WRACAJCIE DO DOMU!

ASTRID, POKAŻ MI BOJOWĄ MINĘ!

AAA?

POKAŻ BOJOWĄ MINĘ!

AAA!

TYLKO NA TYLE CIĘ STAĆ?! POKAŻ BOJOWĄ MINĘ!!

AAAAA!

A TERAZ RUSZAJ!

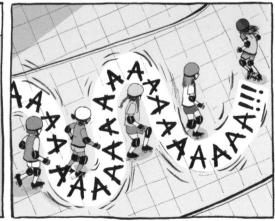

AAAAAAAAAAAAAA!!!

PO ZAJĘCIACH MIAŁAM KOLEJNE PYTANIE DO TĘCZY.

ODPOWIEDŹ NADESZŁA KOLEJNEGO DNIA.

Droga
Pączkofiaro,
Oto rada: Kiedy
w kogoś uderzasz,
wyobraź sobie,
że to Twój
najgorszy wróg
na całym świecie.
I to wszystko!

Tęcza

OCH, **TERAZ** TRENINGI STANĄ SIĘ ZNACZNIE CIEKAWSZE!

A MASZ, RACHEL!

BUM!

GWIZD GWIZD!

DZIEWCZYNY, SIADAJCIE! W RAMACH PRZYGOTOWAŃ DO ZAWODÓW DZIŚ POROZMA- WIAMY O REGUŁACH GRY.

JAK WIĘKSZOŚĆ Z WAS WIE, TO...

...JEST SKORUPA.

HE! HE! JAK U ŻÓŁWIA!

SKORUPA ŚCIGAJĄCEJ MA NAMALOWANĄ GWIAZDKĘ.

A SKORUPA PIVOTA MA PAS.

ZAKŁADACIE JĄ NA KASK.

KTO MI POWIE, CO ROBI PIVOT?

PIVOT JEST TAKĄ OBROŃCZYNIĄ-PREFEKTEM. NO, JAK PREFEKCI W DOMACH Z HARRY'EGO POTTERA! MÓWI, GDZIE MAMY SIĘ USTAWIĆ I W OGÓLE.

NO, MNIEJ WIĘCEJ. OKEJ, TO KTO CHCE BYĆ PIVOTEM W TEJ ROZGRYWCE? PIPI, OKEJ.

POTRZEBUJĘ JESZCZE TRZECH OBROŃCZYŃ.

A TERAZ ŚCIGAJĄCA. CO ONA ROBI?

TO ONA ZDOBYWA PUNKTY!

TAK, **TYLKO** ONA MOŻE ZDOBYĆ PUNKTY. ROBI TO, OMIJAJĄC OBROŃCZYNIE.

KTO CHCE BYĆ ŚCIGAJĄCĄ?

GODZILLA, OKEJ.

HMMM.

W TEJ ROZGRYWCE MAMY BIEDNĄ, SAMOTNĄ ŚCIGAJĄCĄ, KTÓRA JEST NA TORZE BEZ SWOJEJ DRUŻYNY. OBROŃCZYNIE USTAWIAJĄ SIĘ, BY STWORZYĆ ŚCIANĘ...

A ŚCIGAJĄCA USTAWIA SIĘ ZA NIMI, NA SWOJEJ LINII.

OBROŃCZYNIE PRÓBUJĄ JĄ **ZATRZYMAĆ**.

ŚCIGAJĄCA CHCE PRZEDOSTAĆ SIĘ MIĘDZY NIMI. PROSTE, PRAWDA?

NA MÓJ GWIZDEK,

GWIZD!

WSZYSCY RUSZAMY!

HEIDI MÓWIŁA NAM O RÓŻNYCH STRATEGIACH, UŻYWAJĄC TAKICH SŁÓW JAK „OFENSYWA", „DEFENSYWA", „ŚCIANA"...

...ALE JA NIE SŁUCHAŁAM.

...ŚCIGANIE OKAZAŁO SIĘ **TROSZKĘ** TRUDNIEJSZE, NIŻ PRZYPUSZCZAŁAM.

BUM!

DENERWOWAŁAM SIĘ, BO HEIDI PRZEZ CAŁY TYDZIEŃ ROBIŁA NOTATKI. CZYŻBY OCENIAŁA MOJE POSTĘPY? ZASTANAWIAŁA SIĘ, CZY DOPUŚCIĆ MNIE DO GRY W ROLLER DERBY?

ZACZĘŁAM STOSOWAĆ STARE, WYPRÓBOWANE SZTUCZKI, KTÓRYCH UŻYWAŁAM, BY POPRAWIĆ MAMIE HUMOR, ZANIM JĄ O COŚ POPROSZĘ.

TWOJE DREDY WYGLĄDAJĄ DZIŚ WYJĄTKOWO PIĘKNIE, HEIDI!

OOO, HEIDI, NOWY TATUAŻ?

HEIDI, POD TWOIM OKIEM ZACZYNAM ROZKWITAĆ!

NIE WIEM, CZY TO KUPIŁA.

ALE I TAK PRÓBOWAŁAM. NA PRZYKŁAD W PIĄTEK, KIEDY SZUKAŁA OCHOTNICZEK DO ROZDAWANIA ULOTEK...

CHCĘ, ŻEBY KILKA Z WAS PRZYSZŁO O 17:00 DO PARKU. ODBYWA SIĘ TAM RODZINNY PIKNIK, WIĘC TO ŚWIETNA OKAZJA, ŻEBY ZACHĘCIĆ LUDZI DO OBEJRZENIA ROLLER DERBY.

JA TO ZROBIĘ, HEIDI!

PRZYJACIELSKI, POMOCNY, DRUŻYNOWY UŚMIECH.

OOOKEEEJ ... DZIĘKUJĘ, ASTRID!

MOGĘ PÓJŚĆ Z TOBĄ!

SUPER! JAK CHCESZ, TO MOŻEMY ZJEŚĆ U MNIE OBIAD!

POJECHAŁYŚMY DO MOJEGO DOMU I PO DRODZE ZROBIŁYŚMY POSTÓJ.

E-Z STOP

MOJA NAJLEPSZA KLIENTKA! JASNE, POWIEŚ ULOTKĘ NA OKNIE

WTEDY NAGLE COŚ PRZYKUŁO MOJĄ UWAGĘ...

NO PROSZĘ - OBÓZ TANECZNY NICOLE ORGANIZOWAŁ POKAZ W WEEKEND PO NASZYM MECZU.

Akademia
Tańca
Northwest

Letni
pokaz

30 lipca, godzina 19:00

MAMA NIE POZWALA MI ZAPRASZAĆ NIKOGO, KIEDY NIE MA JEJ W DOMU... WIĘC MUSIAŁYŚMY BYĆ SPRYTNE.

MAMO! JUŻ JESTEM!

CZY ZOEY MOŻE ZOSTAĆ NA OBIAD?

STANĘŁYŚMY OBOK SIŁOMETRU, A ZOEY NAWOŁYWAŁA LUDZI NICZYM WODZIREJ.

ROLLER DERBY! **CHODŹCIE!** TYLKO TUTAJ, ULOTKI NA ROLLER DERBY!

PRZESTAŃ! MÓJ BRZUCH!

CZEKAJ, MAM POMYSŁ.

LIZ

CHODŹCIE ZOBACZYĆ CUDOWNĄ WRÓŻKĘ! PRZEWIDUJE PRZYSZŁOŚĆ!

CO POWIE-DZIAŁAŚ?

WIDZĘ W PANI PRZY-SZŁOŚCI... ROLLER DERBY!

ROLLER DERBY? JA W TWOJEJ WIDZĘ WARIATKOWO!

NIE ŚMIEJ SIĘ! WIDZĘ WARIATKOWO **W TWOJEJ** PRZYSZŁOŚCI!

PRZEPOWIEDNIE! ROLLER DERBY I PRZEPOWIEDNIE! TUTAJ!

WIIIIDZĘ PRZYSZŁOŚĆ!

ASTRID?

WSZĘDZIE POZNAŁABYM TEN GŁOS... SŁYSZAŁAM GO NIEMAL CODZIENNIE PRZEZ OSTATNIE PIĘĆ LAT. MOŻE RZECZYWIŚCIE **WIDZIAŁAM** PRZYSZŁOŚĆ, BO Z ZAMKNIĘTYMI OCZAMI POWIEDZIAŁAM:

NICOLE?

NIE WIDZIAŁAM JEJ OD TYGODNI, ODKĄD SPOTKAŁAM JĄ PRZED JEJ DOMEM. A TERAZ STAŁA PRZEDE MNĄ... Z RACHEL, ADAMEM I KEITHEM.

TWOJE WŁOSY! WYGLĄDASZ TAK... INACZEJ.

CZUŁAM SIĘ DZIWACZNIE. BYŁAM W SZOKU, GDY TAK NAGLE POJAWIŁA SIĘ ZNIKĄD, AŻ POCZUŁAM MDŁOŚCI... ALE TEŻ CIĄGLE BYŁAM W TRANSIE WYWOŁANYM PRZEZ NIEKOŃCZĄCY SIĘ ATAK ŚMIECHU.

MOJA BABCIA MA NIEBIESKIE WŁOSY.

TO POWINNO MNIE WKURZYĆ, ALE...

...CZY TWOJA BABCIA JEST W WARIATKOWIE?

PRYCH

DZIWACZKI.

MOŻE CHCESZ ULOTKĘ?

ROLLER DERBY?

GRASZ W ROLLER DERBY?

O JAAA!

TO CO, BIJECIE SIĘ?

ZAMKNIJ SIĘ – ONA GRA W ROLLER DERBY! MOŻE CIĘ POBIĆ!

NIE UŻYWAM SWOJEJ SIŁY W NIECNYCH CELACH.

NICOLE CIĄGLE NA MNIE PATRZYŁA. A JA NA NIĄ.

CZY BYŁA Z ADAMEM NA **RANDCE**? NIE WIEM, CZEMU CZUŁAM SIĘ Z TYM DZIWNIE...

NO CHODŹCIE! ZA GODZINĘ PRZYJEDZIE PO NAS MOJA MAMA.

ŚMIECENIE TO PRZESTĘPSTWO!

UCH. TO TWOI PRZY-JACIELE?

...NIE.

PATRZĄC NA NICOLE, BYŁAM WRĘCZ IDIOTYCZNIE ZAFASCYNOWANA.

CZY WEŹMIE ADAMA ZA RĘKĘ? CZY GO **POCAŁUJE**?

HEJ, CHODŹMY ZA NIMI!

PO CO? TO FRAJERZY.

BĘDZIE ŚMIESZNIE! CHODŹ, MOŻEMY SIĘ Z NICH POŚMIAĆ!

W SUMIE I TAK PRAWIE SKOŃCZYŁY NAM SIĘ ULOTKI...

ZJEDZIEMY ZE ZJEŻDŻALNI?

HEJ, CZEKAJ!

ŚLEDZENIE ICH SZYBKO OKAZAŁO SIĘ NUDNE. NICOLE I RACHEL TYLKO CHICHOTAŁY, A ADAM I KEITH SZTURCHALI SIĘ NAWZAJEM.

ROZMAWIALI TEŻ NA NAJGŁUPSZE TEMATY.

„ŁADNY MAM BŁYSZCZYK? O NIE, ZŁAMAŁAM PAZNOKIEĆ! JAK TU BRUDNO, FUJ!"

JEST TAKA WKURZAJĄCA! JAK KTOKOLWIEK Z NIĄ WYTRZYMUJE?

CHŁOPAKI, KUPICIE NAM COŚ DO PICIA? MUSZĘ POROZMAWIAĆ Z NICOLE **NA OSOBNOŚCI**.

JEST SUPER. TERAZ PÓJDZIEMY NA DIABELSKI MŁYN, A TAM ADAM BĘDZIE **MUSIAŁ** CIĘ POCAŁOWAĆ. W KOŃCU PO TO WYNALEŹLI DIABELSKIE MŁYNY!

TAK MYŚLISZ? NAWET NIE PRÓBOWAŁ WZIĄĆ MNIE ZA RĘKĘ.

ZAUFAJ MI.

O ILE NIE PRZESTRASZYŁA GO TA DZIWACZKA, ASTRID. NIE WIERZĘ, ŻE SIĘ Z NIĄ PRZYJAŹNIŁAŚ.

SERCE MI STANĘŁO. A NAPÓJ PRZESTAŁ SMAKOWAĆ SŁODKO.

JEST TERAZ... CAŁKIEM INNA. NIE WIEM, CO SIĘ STAŁO.

PEWNIE BIERZE NARKOTYKI.

NARKOTYKI!!! CZY ONA DO RESZTY OSZALAŁA?!

NIE SĄDZĘ, ŻEBY COŚ BRAŁA.

BEZ RÓŻNICY. NAJWAŻNIEJSZE, ŻEBYŚ NIE WYROBIŁA SOBIE ZŁEJ REPUTACJI JUŻ OD PIERWSZEGO DNIA GIMNAZJUM.

TO, ŻE PRZYJAŹNIŁYŚCIE SIĘ W ZESZŁYM ROKU, NIE ZNACZY, ŻE W TYM TEŻ MUSICIE.

JAK... PRZESTAJE SIĘ BYĆ CZYJĄŚ PRZYJACIÓŁKĄ?

WIECIE, CO JEST DZIWNE? TEŻ SIĘ NAD TYM ZASTANAWIAŁAM PRZEZ OSTATNIE TYGODNIE. MOŻE TO JEDNA Z NAJWIĘKSZYCH ZAGADEK WSZECHŚWIATA...

...CHYBA ŻE JESTEŚ DZIECKIEM SAMEGO DIABŁA. **WTEDY** ZNASZ ODPOWIEDŹ.

NAJLEPSZE, CO MOŻESZ ZROBIĆ, TO W OGÓLE PRZESTAĆ Z NIĄ ROZMAWIAĆ.

SERCE ZACZĘŁO UDERZAĆ MI W ŻEBRA.

BRZMI WREDNIE, ALE JESZCZE WREDNIEJ BYŁOBY UDAWAĆ, ŻE DALEJ JĄ LUBISZ.

NICOLE SIĘ NA TO NIE ZGODZI, PRAWDA?

JEŚLI POWIE CI „CZEŚĆ" NA KORYTARZU, ZIGNORUJ JĄ.

CZEKAŁAM, AŻ NICOLE KAŻE JEJ SIĘ WYPCHAĆ. JAK MOŻNA POTRAKTOWAĆ KOGOŚ TAK OKRUTNIE?!

ALE ONA...

MOŻE MASZ RACJĘ.

POCZUŁAM SIĘ, JAKBY ZOMBIE ZJADŁ MI MÓZG. PRAWIE NIC NIE WIDZIAŁAM, WYBIEGAJĄC ZZA DRZEWA.

ASTRID!

CHCĘ CI TYLKO POWIEDZIEĆ, ŻEBYŚ SIĘ NIE MARTWIŁA. NIE POWIEM CI „CZEŚĆ" NA KORYTARZU. NIGDY WIĘCEJ SIĘ DO CIEBIE NIE ODEZWĘ!

ASTRID, NIE CHCIAŁAM CIĘ ZRANIĆ...

KTO CHCIAŁBY SIĘ Z TOBĄ PRZYJAŹNIĆ? JESTEŚ NUDNA I PUSTA! NIEKTÓRZY ZAJMUJĄ SIĘ CZYMŚ WIĘCEJ NIŻ SZMINKAMI, CIUCHAMI I CHŁOPCAMI!

AAAAH! OHYDA! JESTEM CAŁA BRUDNA! MASZ **PRZEKICHANE**, ASTRID!

NIENAWIDZĘ CIĘ, NICOLE! NIENAWIDZĘ CIĘ! NIENAWIDZĘ!

MAMA NIE POZWALA MI MÓWIĆ SŁOWA NA N. W NASZYM DOMU JEST ONO SUROWO ZAKAZANE. ALE KIEDY BYŁAM TAK WŚCIEKŁA...

...I UCIEKŁAM.

SERCE BIŁO MI JAK SZALONE. NOGI MIAŁAM JAK Z WATY. CAŁKIEM JAK PO 50 ZABÓJCZYCH OKRĄŻENIACH.

NIGDY, PRZENIGDY BYM NIE POMYŚLAŁA, ŻE POWIEM COŚ TAKIEGO NAJLEPSZEJ PRZYJACIÓŁCE. NASZA PRZYJAŹŃ DOBIEGŁA KOŃCA.

NAPRAWDĘ.

TO BYŁO... (UFF) SUPER! ZASŁUŻYŁY (UFF) NA TO!

NA PEWNO MNIE DOPADNĄ. UPRZYKRZĄ MI ŻYCIE W GIMNAZJUM.

TAK MYŚLISZ? NIECH SPRÓBUJĄ. GRASZ W ROLLER DERBY! JAK WEJDĄ CI W DROGĘ, ODEPCHNIESZ JE BIODREM!

CHOCIAŻ CZUŁAM SIĘ OKROPNIE, MYŚL O ZEPCHNIĘCIU RACHEL BIODREM ZE SCHODÓW WYWOŁAŁA NA MOJEJ TWARZY UŚMIECH.

ROZDZIAŁ 10

PO SPOTKANIU Z NICOLE I RACHEL COŚ WE MNIE PĘKŁO. NIE CHCIAŁAM JUŻ ZAGRAĆ W TYM MECZU – TERAZ ABSOLUTNIE **MUSIAŁAM** W NIM ZAGRAĆ!

NIE POTRAFIĘ WYJAŚNIĆ, CO MNIE OPĘTAŁO. NIGDY WCZEŚNIEJ NIE CZUŁAM SIĘ TAKA SZALENIE WŚCIEKŁA. POZWOLIŁAM NAPĘDZAĆ SIĘ TEJ ZŁOŚCI, JAKBY BYŁA MOIM PALIWEM. OSZALAŁAM.

PRZYBRAŁAM BOJOWĄ MINĘ I NIE POTRAFIŁAM JUŻ PRZYBRAĆ ŻADNEJ INNEJ.

ĆWICZYŁAM PCHNIĘCIA NA FUTRYNACH.

A MASZ, RACHEL!

BUM!

BUM!

A MASZ, NICOLE!

MIAŁAM SINIAKI NA BIODRACH I RAMIONACH. I UWIELBIAŁAM JE.

ROBIŁAM WYKROKI PODCZAS SPRZĄTANIA.

PRZYSIADY PRZED TELEWIZOREM.

I PRÓBOWAŁAM JEŹDZIĆ Z ZABÓJCZĄ SZYBKOŚCIĄ – NIESTETY KORYTARZ BYŁ NA TO ZA KRÓTKI.

BUM!

AUUU.

NA PEWNO NIE CHCESZ ZROBIĆ SOBIE PRZERWY? CIĘŻKO TRENUJESZ.

UUUCH

PRZECIEŻ **MUSZĘ** TRENOWAĆ, MAMO. ZALEŻY MI NA TYM!

NO... TYLKO NIE PRZESADŹ, DOBRZE?

UUUCH

PRZYJDZIESZ DZIŚ DO MNIE? WYPOŻYCZYŁAM *XANADU* NA DVD! SŁUCHAJ TEGO... TO MUSICAL... **NA WROTKACH!**

WŁAŚCIWIE TO CHCĘ JESZCZE ZOSTAĆ I POĆWICZYĆ.

CO? PRZECIEŻ ĆWICZYŁYŚMY **TRZY GODZINY!**

CHCĘ ZAGRAĆ W TYM MECZU. A TY NIE?

TAK, ALE... ***XANADU*!**

NIE MOŻECIE ZOSTAĆ W HALI BEZ OPIEKI DOROSŁYCH... ALE MAM TROCHĘ PAPIERKÓW DO WYPEŁNIENIA, WIĘC BĘDĘ TU JESZCZE PRZEZ GODZINKĘ. WASI RODZICE O TYM WIEDZĄ?

TAK, DZWONIŁYŚMY! ZGODZILI SIĘ.

AU!

ZASTANAWIACIE SIĘ PEWNIE, CZY JEŹDZIŁAM LEPIEJ.

DO BIEGU, GOTOWE...

...START!

BYŁAM CAŁKIEM SZYBKA.

WYGRAŁAM!

ALE WCIĄŻ NIE POTRAFIŁAM HAMOWAĆ.

AUUU.

ZRESZTĄ, PO CO HAMOWAĆ, SKORO MOŻNA PĘDZIĆ?!

MOJE UDERZENIA BYŁY LEPSZE... CHYBA.

TYM RAZEM PRAWIE MNIE RUSZYŁAŚ!

RAZEM Z ZOEY NIEMAL CODZIENNIE ZOSTAWAŁYŚMY PO ZAJĘCIACH.

OKEJ, DZIEWCZYNY! KOŃCZCIE. WRACAM DO DOMU.

JESTEM POD WRAŻENIEM TEGO, JAK DUŻO ĆWICZYCIE. I WIDZĘ NAPRAWDĘ DUŻE POSTĘPY. TAK SAMO JAK DRUGA TRENERKA.

JESTEŚMY WYSTARCZA-JĄCO DOBRE, ŻEBY ZAGRAĆ?

POWIEDZMY, ŻE JEST SPORA SZANSA.

HURA!

NIE ODPUSZCZAŁAM.

A CZY JESTEM DOŚĆ DOBRA, BY BYĆ **ŚCIGAJĄCĄ**?

NIE MOGĘ CI NIC OBIECAĆ. NA TAKĄ KRÓTKĄ GRĘ NA TEJ POZYCJI WYSTAWIMY RACZEJ DOŚWIADCZONE DZIEWCZYNY. NIE BYŁO ZBYT WIELE CZASU, ŻEBY PORZĄDNIE POTRENOWAĆ.

NO, ALE GDYBY KTOŚ **NAPRAWDĘ** CIĘŻKO PRACOWAŁ? I STAŁBY SIĘ O WIELE LEPSZY? CZY **WTEDY** BYŁABY SZANSA?

JAK MÓWIŁAM, ŻADNYCH OBIETNIC. ALE IDZIE WAM ŚWIETNIE. OBY TAK DALEJ!

SŁYSZAŁAŚ, CO MÓWIŁA? BĘDZIEMY GRAĆ! MOŻEMY ZAGRAĆ! MAM NADZIEJĘ, ŻE W TEJ SAMEJ DRUŻYNIE.

HEJ, WPADNIESZ DO MNIE JUTRO? MOŻEMY W KOŃCU WYBRAĆ PSEUDONIMY NA DERBY I UDEKOROWAĆ NASZE KASKI! **NO I OBEJRZEĆ *XANADU*!**

DZIĘKI, ALE... JUTRO CHYBA ZNÓW BĘDĘ ĆWICZYĆ.

CO?! PRZECIEŻ SŁYSZAŁAŚ - MOŻEMY ZAGRAĆ!

TAK, ALE JA CHCĘ BYĆ **ŚCIGAJĄCĄ**.

OSZALAŁAŚ. ODPUŚĆ TROCHĘ, DZIEWCZYNO! ZABAW SIĘ!

JEŚLI BARDZO CZEGOŚ PRAGNIESZ, MUSISZ PRACOWAĆ CIĘŻEJ NIŻ POZOSTALI.

HEJ, JESTEŚ JEDNĄ Z TYCH DZIEWCZYN Z NAJWYŻSZĄ ŚREDNIĄ W SZKOLE?

DO ZOBA- CZENIA JUTRO, ZOEY.

NIKT INNY NIE TRAKTOWAŁ ĆWICZEŃ TAK POWAŻNIE, JAK JA.

PODCZAS CODZIENNEJ PRZERWY NA TAŃCZENIE, ROBIŁAM BRZUSZKI.

NO EJ, PRZESTAŃCIE SIĘ WYGŁUPIAĆ!

ASTRID? NA PEWNO NIE CHCESZ PRZYJŚĆ? NAUCZYŁABYŚ SIĘ WROTKARSKICH SZTUCZEK OD SAMEJ OLIVII NEWTON-JOHN!

NIE. ZOSTANĘ I POPRACUJĘ NAD PRZEPLATANKĄ.

PRZYZNAJĘ, ŻE ĆWICZENIE W POJEDYNKĘ NIE JEST AŻ TAK PRZYJEMNE. ALE JA NIE CHCIAŁAM SIĘ ROZERWAĆ, TYLKO ZOSTAĆ ŚCIGAJĄCĄ.

POD KONIEC TYGODNIA ZROBIŁO SIĘ POWAŻNIE.

OKEJ! ZA DWA TYGODNIE CZEKA NAS ROZGRYWKA, WIĘC CZAS PODZIELIĆ SIĘ NA DRUŻYNY

PO DŁUGIEJ DYSKUSJI ZADECYDOWAŁYŚMY, ŻE MOŻECIE ZAGRAĆ WSZYSTKIE! ZROBIŁYŚCIE OGROMNY PROGRES. GRATULACJE!

JEJ!

SUPER!

PIPI UDERZANKA, TOKSYNA, THRILLA GODZILLA, REVOLLERKA I COCA GOLA... WY BĘDZIECIE W DRUŻYNIE A. WASZĄ TRENERKĄ BĘDZIE NAPOLEON.

RESZTA NALEŻY DO MOJEJ DRUŻYNY, B!

SUPER! JESTEŚMY RAZEM!

DRUŻYNA B, WASZE ŚCIGAJĄCE TO: OGNISTOWŁOSA
I BLONDOWŁOSA, KTÓRE JEŻDŻĄ Z PĄCZKAMI JUŻ OD DAWNA...

SUPER!

ALE JAKO TRZECIĄ WYBRAŁYŚMY DZIEWCZYNĘ
Z MNIEJSZYM DOŚWIADCZENIEM.
W TE WAKACJE CIĘŻKO PRACOWAŁA
I WYJEŹDZIŁA DUŻO DODATKOWYCH GODZIN.

ZGODZIŁYŚMY SIĘ,
ŻE POCZYNIŁA
NIESAMOWITE POSTĘPY.

CZY TO...
CZY TO MOŻE
BYĆ PRAWDA?

ZOEY. ZOSTAJESZ TRZECIĄ ŚCIGAJĄCĄ.

JA?! NIE WIDZIA-ŁAŚ, JAK ŚCIGAM?!

NIE MARTW SIĘ, BĘDZIESZ ŚWIETNA!

NIE PRZEJMUJCIE SIĘ, JEŚLI WAS NIE WYBRAŁYŚMY. TO TYLKO KRÓTKA GRA. DOSTANIECIE SWOJĄ SZANSĘ W PRZYSZŁOŚCI. OKEJ, USTAWCIE SIĘ ZE SWOJĄ DRUŻYNĄ PRZY ŁAWKACH.

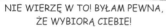

NIE WIERZĘ W TO! BYŁAM PEWNA, ŻE WYBIORĄ CIEBIE!

PRZECIEŻ TY NAWET **NIE CHCESZ** ŚCIGAĆ!

TAK, WIEM, ALE... CAŁKIEM FAJNIE, ŻE MNIE WYBRALI! ZAWSZE MYŚLAŁAM, ŻE JESTEM OKROPNA NA TEJ POZYCJI.

JEŚLI NIE CHCESZ TEGO ROBIĆ, TO IM POWIEDZ. NIE POWINNI CIĘ ZMUSZAĆ DO CZEGOŚ, CZEGO NIE CHCESZ.

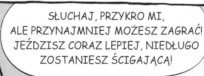

SŁUCHAJ, PRZYKRO MI, ALE PRZYNAJMNIEJ MOŻESZ ZAGRAĆ! JEŹDZISZ CORAZ LEPIEJ, NIEDŁUGO ZOSTANIESZ ŚCIGAJĄCĄ!

WIEM, TYLKO... NIE UMIEM...

NIE POTRAFIŁAM JEJ WYTŁUMACZYĆ, JAKA BYŁAM ZAWIEDZIONA. CZUŁAM SIĘ... JAKBY NICOLE I RACHEL WYGRAŁY. A JA PRZEGRAŁAM.

MOGŁABYŚ CIESZYĆ SIĘ **ZE MNĄ**.

PRZECIEŻ **SIĘ CIESZĘ**. TYLKO...

WIESZ, JA BYM SIĘ Z TOBĄ CIESZYŁA.

TO PRAWDA. I CZUŁAM SIĘ PRZEZ TO JESZCZE GORZEJ.

ASTRID, WIEM, ŻE CHCIAŁAŚ ZOSTAĆ ŚCIGAJĄCĄ I NA PEWNO KIEDYŚ CI SIĘ UDA! ALE PÓKI CO MUSIMY POPRACOWAĆ NAD TWOJĄ PRACĄ W ZESPOLE, OKEJ?

CHLIP

KIW

CAŁE ZAJĘCIA BYŁY OKROPNE. A PO NICH ZOEY NAWET NA MNIE NIE SPOJRZAŁA.

MYŚLELIŚCIE, ŻE NAJGORSZY DZIEŃ MOJEGO ŻYCIA **NIE MÓGŁ** STAĆ SIĘ JESZCZE GORSZY?

JA TEŻ W TO NIE WIERZYŁAM... DOPÓKI MAMA NIE WRÓCIŁA Z PRACY.

ASTRID, DO SAMOCHODU!

JEDZIEMY NA ZAKUPY!

PRZEBIERALNIA

ZIEMIA DO ASTRID! WYCHODŹ JUŻ – SIEDZISZ TAM OD PIĘCIU MINUT!

PRZEBIERALNIA

TA SUKIENKA **ODPADA**.

WYJDŹ, CHCĘ JĄ ZOBACZYĆ.

OCH, TO...

NAJBRZYDSZA SUKIENKA NA ŚWIECIE! I CHYBA MAM PRZEZ NIĄ WYSYPKĘ. MOGĘ JĄ ZDJĄĆ?

NICOLE!

MAMO! **ZAPOMNIAŁAM**...

...CHYBA PO RAZ PIERWSZY W ŻYCIU NIE UMIAŁAM WYMYŚLIĆ ŻADNEJ WYMÓWKI. NIE WIEDZIAŁAM, JAK ODWRÓCIĆ UWAGĘ MAMY.

NICOLE! TUTAJ, SKARBIE!

NIE MASZ POJĘCIA, JAK MIŁO CIĘ WIDZIEĆ! NIE ROZMAWIAŁYŚMY OD TYGODNI!

ZNACIE TO POWIEDZENIE: „WPAŚĆ JAK ŚLIWKA W KOMPOT"?

MOŻE **TY** JEJ POWIESZ, ŻE TO ŚLICZNA SUKIENKA?

NO... CHYBA ŁADNA.

ACH, TO PRZEZ TE WŁOSY. NIC DO NICH NIE PASUJE. CO TU ZROBIĆ?

MAMA CHYBA BY MNIE ZABIŁA, GDYBYM POFARBO- WAŁA WŁOSY.

JEJ TO NIE POWSTRZYMAŁO. CIESZYSZ SIĘ NA WASZ MECZ? ASTRID CIĄGLE MÓWI TYLKO O TYM. PODOBNO NA OBOZIE ŚWIETNIE CI IDZIE.

NA OBOZIE?

TO KONIEC. MOJE KŁAMSTWO MIAŁO WYJŚĆ NA JAW. WIDZIAŁAM TO ZMIESZA- NIE NA TWARZY NICOLE.

NO, NA OBOZIE WROTKARSKIM? TYM, NA KTÓRY CHODZICIE Z ASTRID OD TRZECH TYGODNI?

NICOLE PATRZYŁA RAZ NA MNIE, RAZ NA MOJĄ MAMĘ, AŻ W KOŃCU ZROZUMIAŁA, CO SIĘ DZIEJE. WIEDZIAŁAM, ŻE PRZYSZEDŁ CZAS NA JEJ ZEMSTĘ.

NIE POWIE-
DZIAŁAŚ
MAMIE?

NO NIE.

O CZYM?

ACH, MAMO,
GŁUPIA SPRAWA,
WIDZISZ, NICOLE...

JA... AKURAT
W DNIU MECZU
BĘDĘ POZA
MIASTEM.

O NIE, JAKA SZKODA! TO PEWNIE
NAJWAŻNIEJSZE WYDARZENIE OBOZU!

NAGLE POCZUŁAM OGROMNĄ ULGĘ...
I NAWET UŚMIECHNĘŁAM SIĘ DO NICOLE,
ZANIM SOBIE PRZYPOMNIAŁAM,
ŻE NIE UŚMIECHA SIĘ DO WROGÓW.

PRZYJECHAŁAŚ TU Z MAMĄ?
CHCIAŁAM JĄ ZAPYTAĆ, CZY NIE
PRZESZKADZA JEJ TO CIĄGLE
ODWOŻENIE ASTRID DO DOMU...

WŁAŚCIWIE PRZYSZŁAM
TU Z TATĄ. I MIAŁAM GO
DOGONIĆ PRZY TYCH, NO...
GARNKACH. ZAPOMNIAŁAM.

PA, ASTRID.
(YYY)
DO ZOBACZENIA
NA OBOZIE!

NO TO PA, SKARBIE! MIŁO BYŁO CIĘ SPOTKAĆ

CZY COŚ JEST NIE TAK? ZACHOWUJECIE SIĘ DZIWNIE.

NIC NIE JEST **NIE TAK**, POZA TYM, ŻE POKAZUJĘ SIĘ PUBLICZNIE W TEJ UPOKARZAJĄCEJ SUKIENCE! CZY MOŻEMY JUŻ STĄD IŚĆ?

PRZEBIERALNIA

TRZASK!

5 RZECZY

NOGI MI SIĘ TRZĘSŁY. CZUŁAM ULGĘ, ALE I STRES... CZY W PIĘĆ MINUT MOŻNA DOSTAĆ WRZODÓW ŻOŁĄDKA? I TO W WIEKU 12 LAT?

WIESZ, DLA NIEKTÓRYCH KOBIET ZAKUPY SĄ MIŁE I RELAKSUJĄCE. WYOBRAŻASZ SOBIE?

Pine Tree SHOPPING

NIE ODPOWIEDZIAŁAM. WCIĄŻ BIŁAM SIĘ Z MYŚLAMI. DLACZEGO NICOLE MNIE KRYŁA?

CHYBA ŻE... PLANOWAŁA WYKORZYSTAĆ TĘ INFORMACJĘ PRZECIWKO MNIE I WPAKOWAĆ MNIE W JESZCZE WIĘKSZE KŁOPOTY!

I NAGLE WSZYSTKO STAŁO SIĘ DLA MNIE JASNE.

O NIE...

CO? CO SIĘ STAŁO?

NIC.

ULOTKA. PRZECIEŻ ONE DOSTAŁY ULOTKĘ O MECZU ROLLER DERBY! NA PEWNO RAZEM Z RACHEL PLANOWAŁY JUŻ JAKĄŚ OKROPNĄ ZEMSTĘ I CHCIAŁY MNIE UPOKORZYĆ NA OCZACH 500 LUDZI!

NAGLE ZROZUMIAŁAM, CO MUSZĘ ZROBIĆ. DOPAŚĆ JE, ZANIM ONE DOPADNĄ MNIE.

ROZDZIAŁ ★ 12

WIECIE, ŻE PICASSO MIAŁ SWÓJ „OKRES BŁĘKITNY"?*

* WIEDZIELIBYŚCIE, GDYBY WASZE MAMY ZMUSZAŁY WAS DO WIECZORÓW KULTURALNEJ ROZRYWKI.

CÓŻ, JA NAZYWAM TEN OKRES SWOJEGO ŻYCIA „OKRESEM CZARNYM".

KOSZMARY NIE DAWAŁY MI SPAĆ.

PRZEZ CIEBIE PRZEGRAŁYŚMY, OFIARO!

JAK JA MOGŁAM SIĘ PRZYJAŹNIĆ Z TAKĄ IDIOTKĄ?

UŚMIECH DLA FANÓW, WŚCIEKLIZNO!

ZAMIAST ĆWICZYĆ, W WOLNYM CZASIE PLANOWAŁAM ZEMSTĘ NA NICOLE I RACHEL.

Akademia Tańca Northwest

Letni pokaz

30 lipca, godzina 19:00

Potrzebne będą:
Zgniłe jaja
Balony z wodą
Zgniłe owoce (różne)
Pianka do golenia?

ŻAŁOWAŁAM, ŻE ICH POKAZ MIAŁ SIĘ ODBYĆ TYDZIEŃ PO MOIM MECZU. ALE POSTANOWIŁAM PRZYNAJMNIEJ BYĆ PRZYGOTOWANA.

NA OBOZIE WCALE NIE BYŁO LEPIEJ.

ZOEY NADAL ZE MNĄ NIE GADAŁA.

A ŻE NIE ZOSTAŁAM ŚCIGAJĄCĄ, MECZ PRZESTAŁ MNIE EKSCYTOWAĆ.

NASZA DRUŻYNA POWINNA SIĘ NAZYWAĆ „KRWIOPIJKI"!

SUPER! MOŻEMY SIĘ PRZEBRAĆ ZA WAMPIRY!

TAK!

ZOSTAŁ NAM TYLKO TYDZIEŃ, WIĘC CAŁE DNIE ĆWICZYŁYŚMY NASZE POZYCJE.
I CHOĆ TO NIEMAL NIEMOŻLIWE, NA OBRONIE BYŁAM JESZCZE **GORSZA**.
KIEDY TYLKO PRÓBOWAŁAM KOGOŚ UDERZYĆ, ODSYŁANO MNIE NA ŁAWKĘ.

GWIZD!

ASTRID! ŁOKCIE PRZY SOBIE! NA ŁAWKĘ KARNĄ!

GWIZD!

ZA NISKI BLOK! ŁAWKA!

PAMIĘTAJ, SIEDZĄC TU, NIE POMAGASZ DRUŻYNIE!

A NAWET KIEDY NIE SIEDZIAŁAM...

OKEJ, JEDZIE ŚCIGAJĄCA!

TO ŚCIGAJĄCA! OBOK CIEBIE! PCHNIJ JĄ, ASTRID! PCHNIJ!

WZIUM

MINIĘCIE

OOCH

...I TAK NIE POMA-GAŁAM DRUŻYNIE.

ZOEY TEŻ NIE SZŁO DOBRZE NA POZYCJI ŚCIGAJĄCEJ. NIE POTRAFIŁA PRZEBIĆ SIĘ PRZEZ ŚCIANĘ PRZECIWNICZEK.

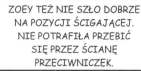

PFFF

UFFF

HMMM

NA OBRONIE POJADĄ ASTRID, RUTH, DRACULOLA I MAŁA MI. ZOEY, TY BĘDZIESZ ŚCIGAJĄCĄ.

ACHH.

ASTRID, UTRZYMUJ SIĘ NA **LINII WEWNĘTRZNEJ**. NIE RUSZAJ SIĘ Z NIEJ. I NIE PRZEPUSZCZAJ OBOK SIEBIE ŚCIGAJĄCEJ.

TYM RAZEM BĘDĘ ŚWIETNA! ZOSTANĘ NA LINII. NIKOGO NIE PRZEPUSZCZĘ.

PROBLEM Z ROLLER DERBY JEST TAKI, ŻE ŁATWO MOŻNA SIĘ POGUBIĆ.

ŚCIGAJĄCA NADJEŻDŻA!

UDERZ! UDERZ!

ZATRZYMAJ JĄ!

ZOSTAŃ NA LINII!

KĄTEM OKA ZOBACZYŁAM GWIAZDKĘ. MUSIAŁO MI SIĘ UDAĆ! DAŁAM Z SIEBIE WSZYSTKO.

BAM!

A MASZ, RACHEL!

UDERZYŁAM JĄ! W KOŃCU KOGOŚ TRAFIŁAM!

AUUUU.

GWIZD GWIZD!

ROBIMY PRZERWĘ! ZOEY, WSZYSTKO W PORZĄDKU?

ZOEY?!

JESTEM W **TWOJEJ DRUŻYNIE**! MIAŁAŚ WYWRÓCIĆ **DRUGĄ** ŚCIGAJĄCĄ, **NIE MNIE**!

SPOKOJNIE, ONA NIE CHCIAŁA...

WIEM, ŻE JESTEŚ ZAZDROSNA O TO, ŻE ŚCIGAM. ALE TO NIE ZNACZY, ŻE MASZ MNIE **BIĆ**!

TO SIĘ ZDARZA, NIE MARTW SIĘ.

TAK. NIE POWINNA BYŁA TAK MÓWIĆ.

TO BYŁ WYPADEK! JA NIE CHCIAŁAM!

KIEDY NIE CHCE SIĘ MYŚLEĆ ZUPEŁNIE O NICZYM, MOŻNA ZROBIĆ TYLKO JEDNO.

KLIK

TRZASK

KUPIŁAŚ MOŻE CHIPSY?

MAMO?

WŁAŚNIE SPOTKAŁAM W SUPERMARKECIE MAMĘ NICOLE.

W SEKUNDĘ SKAMIENIAŁAM.

POWIEDZIAŁA, ŻE NICOLE NIE ZAPISAŁA SIĘ NA OBÓZ WROTKARSKI! A ONA WCALE CIĘ NIE ODWOZIŁA! WYJAŚNISZ MI MOŻE, **O CO TU CHODZI**?

MAMO, JA...

JAK CODZIENNIE WRACAŁAŚ DO DOMU PO OBOZIE?!

JA... PRZYJEŻDŻAŁAM NA WROTKACH.

CZERWONA TWARZ MAMY ZBLADŁA NAGLE JAK U POSTACI Z KRESKÓWKI. PO CZĘŚCI MIAŁAM OCHOTĘ SIĘ ZAŚMIAĆ.

JEJ GŁOS STAŁ SIĘ NIŻSZY. NIEBEZPIECZNY.

CODZIENNIE JECHAŁAŚ NA WROTKACH Z OAKS PARK AŻ DO DOMU? MUSIAŁAŚ PRZEJECHAĆ PRZEZ **AUTOSTRADĘ**!

TAM JEST PRZEJŚCIE. I ŚWIATŁA.

DO POKOJU, **NATYCHMIAST**. POROZMAWIAMY O TYM, KIEDY SIĘ USPOKOJĘ.

CZĘŚĆ MNIE - TA CZĘŚĆ, KTÓRA CHYBA CHCIAŁA ZGINĄĆ - MIAŁA OCHOTĘ ZAPYTAĆ: „A CO Z CHIPSAMI?". NA SZCZĘŚCIE WYGRAŁA TA CZĘŚĆ, KTÓRA WOLAŁA JESZCZE ŻYĆ.

SIEDZIAŁAM WKURZONA NA ŁÓŻKU. NIC MNIE JUŻ NIE OBCHODZIŁO. KŁÓCIŁAM SIĘ Z CAŁYM ŚWIATEM, WIĘC CZEMU NIE MIAŁABYM KŁÓCIĆ SIĘ Z MAMĄ?

GŁUPIA NICOLE.

GŁUPIA MAMA!

CIACH!

CIACH!

CIACH!

AAAARRRRGHH!!!

GŁUPIE ROLLER DERBY.

WZIUU

ROLLER DERBY

A MASZ!

PATRZYŁAM NA UKŁAD SŁONECZNY, KTÓRY MAMA NAMALOWAŁA NA SUFICIE, GDY BYŁAM MAŁA. DAWNO TEMU PRZYKLEIŁAM TEŻ GWIAZDKI ŚWIECĄCE W CIEMNOŚCI.

KIEDYŚ ROBIŁAM TAKĄ GŁUPIĄ RZECZ... WYOBRAŻAŁAM SOBIE, ŻE JESTEM WENUS, MOJA MAMA TO MERKURY, A NICOLE TO ZIEMIA.

I WYMYŚLAŁAM NAM RÓŻNE PRZYGODY. LATAŁYŚMY W NICH PO KOSMOSIE, ODWIEDZAŁYŚMY INNE GALAKTYKI I SPOTYKAŁYŚMY OBCYCH.

TERAZ BYŁAM RACZEJ JAK SAMOTNA PIŁECZKA GOLFOWA WYRZUCONA W KOSMOS PRZEZ ASTRONAUTĘ. ZOSTAŁAM SAMA. NA ZAWSZE.

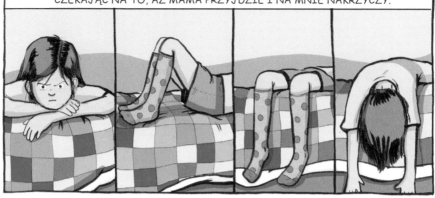

WIĘKSZOŚĆ NAJDŁUŻSZYCH CHWIL W ŻYCIU SPĘDZIŁAM W POKOJU, CZEKAJĄC NA TO, AŻ MAMA PRZYJDZIE I NA MNIE NAKRZYCZY.

I W KOŃCU PRZYSZŁA, OCZYWIŚCIE.

ALE ZACHOWYWAŁA SIĘ DZIWNIE. USIADŁA PRZY MNIE. NIE WRZESZCZAŁA. PO PROSTU SIEDZIAŁA.

W KOŃCU POCZUŁAM, ŻE TA CISZA ZARAZ MNIE ZABIJE.

MAMO?

NIE WIEM JUŻ, CO ROBIĆ, ASTRID. NAJPIERW FARBUJESZ WŁOSY, TERAZ MNIE OKŁAMUJESZ... BYCIE RODZICEM BYŁO O WIELE PROSTSZE, GDY BYŁAŚ DZIECKIEM.

ALE JUŻ **NIE JESTEM** DZIECKIEM.

A NIEDŁUGO BĘDZIESZ NASTOLATKĄ. I SKĄD BĘDĘ MIEĆ PEWNOŚĆ, ŻE NIE ZACZNIESZ PALIĆ, WAGAROWAĆ ALBO BRAĆ NARKOTYKÓW...

CZEMU WSZYSCY MYŚLĄ, ŻE BIORĘ NARKOTYKI?

JA... CZUJĘ, ŻE JUŻ NIE WIEM, KIM JESTEŚ.

CÓŻ, MOŻE JA TEŻ JUŻ NIE WIEM, KIM JESTEM!

NIE MAM POJĘCIA, SKĄD MI SIĘ TO WZIĘŁO. W KOŃCU MAMA PODNIOSŁA WZROK.

CZEMU MNIE OKŁAMAŁAŚ? CZEMU NIE POWIEDZIAŁAŚ, ŻE NICOLE NIE ZAPISAŁA SIĘ NA OBÓZ?

NIE WIEM.

ASTRID, TO **NIE WYSTARCZY**. CZEMU MI NIE POWIEDZIAŁAŚ?

NIE POWIEDZIAŁAM, BO... BO WIEDZIAŁAM, CO MI ODPOWIESZ! „OCH, PO PROSTU SIĘ TROCHĘ POKŁÓCIŁYŚCIE. POGODZICIE SIĘ". ALE **TAK NIE JEST**! TO COŚ WIĘCEJ. ALE... **NIE WIEM CO.**

PRAWIE KRZYCZAŁAM. WEDŁUG ZASAD KŁÓTNI MAMA TEŻ POWINNA PODNIEŚĆ GŁOS, ALE ONA MÓWIŁA CICHO. ZASKOCZYŁA MNIE.

OPOWIEDZ MI O TYM.

NO. I TO WYSTARCZYŁO.

WSZYSTKO JEST TAKIE... TAKIE POKRĘCONE.

OPOWIEDZIAŁAM MAMIE O WSZYSTKIM. O TYM, ŻE NICOLE ZACZĘŁA PRZYJAŹNIĆ SIĘ Z RACHEL, ŻE ZALEŻY JEJ TYLKO NA POPULARNOŚCI, UBRANIACH, MAKIJAŻU I CHŁOPAKACH.

POWIEDZIAŁAM TEŻ, ŻE NIE ZAMIERZAŁA SIĘ ZE MNĄ PRZYJAŹNIĆ W GIMNAZJUM I ŻE WYLAŁAM NA NIĄ NAPÓJ, ZA CO DZIEWCZYNY PLANOWAŁY UPRZYKRZYĆ MI ŻYCIE W NOWEJ SZKOLE...

A SKORO JUŻ ZACZĘŁAM, TO POWIEDZIAŁAM JEJ TEŻ O ZOEY I O TYM, JAK ZNISZCZYŁAM NASZĄ PRZYJAŹŃ. I ŻE NIE ZOSTAŁAM ŚCIGAJĄCĄ. I ŻE W SOBOTĘ WYGŁUPIĘ SIĘ PRZED PIĘĆSETOSOBOWĄ PUBLICZNOŚCIĄ.

DUSIŁAŚ TO W SOBIE PRZEZ TYLE CZASU? KOCHANIE, JEŚLI BĘDZIESZ TAK TŁAMSIĆ UCZUCIA, TO W KOŃCU WYBUCHNIESZ.

POCZUŁAM SIĘ PUSTA. I BARDZO, BARDZO ZMĘCZONA.

MAMO? MOŻESZ MNIE NA CHWILĘ PRZYTULIĆ?

OCZYWIŚCIE, SKARBIE.

PRZECHODZISZ TERAZ TRUDNY OKRES W ŻYCIU. BYCIE NASTOLATKĄ POTRAFI BYĆ NAPRAWDĘ CIĘŻKIE.

O NIE. TYLKO NIE TA ROZMOWA! **ZNOWU!**

...POZA TYM NIGDY NIE LUBIŁAM RACHEL. ANI JEJ MAMY.

NAPRAWDĘ?

TO POPRAWIŁO MI HUMOR.

MAMO?

TO NIE BYŁ NAJLEPSZY CZAS NA TO PYTANIE, ALE MUSIAŁAM WIEDZIEĆ.

TWARDA. SILNA. NIEUSTRASZONA.

POZWOLISZ MI ZAGRAĆ W TYM MECZU?

W UŁAMKU SEKUNDY NAGLE TO POCZUŁAM. CHOCIAŻ GRAŁAM JAK OFERMA, NIE MOGŁAM ŚCIGAĆ I MIAŁAM SIĘ UPOKORZYĆ... I TAK CHCIAŁAM ZAGRAĆ.

PROSZĘ.

A **OBIECUJESZ** OD DZISIAJ BYĆ ZE MNĄ SZCZERA? TYLKO W TAKI SPOSÓB PRZETRWAMY KILKA KOLEJNYCH LAT. JA BĘDĘ SZCZERA Z TOBĄ, A TY ZE MNĄ. UMOWA STOI?

TAK!

I CHOĆ NIC SIĘ NIE ZMIENIŁO - RACHEL I NICOLE WCIĄŻ PLANOWAŁY, JAK SIĘ NA MNIE ZEMŚCIĆ, A JA NIE WIEDZIAŁAM, CZY PRZEŻYJĘ TĘ GRĘ - POCZUŁAM SIĘ LEPIEJ.

NO I - WŁAŚNIE! - CZYŻBY UDAŁO MI SIĘ WYPLĄTAĆ Z KŁOPOTÓW?

JESTEM GENIALNA!

POSŁUCHAJCIE MOJEJ RADY, DZIECIAKI: JEŚLI RODZICE SĄ NA WAS WŚCIEKLI,

SPRÓBUJCIE OPOWIEDZIEĆ IM O TYCH „POKRĘCONYCH, NASTOLETNICH UCZUCIACH". BYĆ MOŻE DZIĘKI TEMU SIĘ WYKRĘCICIE!

MRUG

ROZDZIAŁ ✦ 13

OKEJ, POŚPIESZYŁAM SIĘ – JEDNAK NIE WYKRĘCIŁAM SIĘ DO KOŃCA.

WIESZ, CO MUSIMY TERAZ ZROBIĆ, PRAWDA?

PÓJŚĆ NA LODY Z BITĄ ŚMIETANĄ? ZABAWNE, WŁAŚNIE O TYM POMYŚLAŁAM! NAPRAWDĘ DOBRA Z NAS DRUŻYNA!

BARDZO ŚMIESZNE. ZAKŁADAJ BUTY.

OCHH

TWARDA. SILNA. NIEUSTRASZONA. TWARDA. SILNA. NIEUSTRASZONA. TWARDA. SILNA. NIEUSTRASZONA.

TWARDA. SILNA. NIEUSTRASZONA. TWARDA. SILNA. NIEUSTRASZONA. TWARDA. SILNA. NIEUSTRASZONA.

DING DONG

OCH, ASTRID, MASZ NIEBIESKIE WŁOSY.

CZEŚĆ, JOANNE. PRZEPRASZAMY ZA NAJŚCIE, ALE ASTRID CHCIAŁABY CI COŚ POWIEDZIEĆ.

PRZEPRASZAM, ŻE SKŁAMAŁAM, ŻE ODWOZI MNIE PANI DO DOMU. NICOLE NIC O TYM NIE WIEDZIAŁA. PROSZĘ JEJ NIE KARAĆ, TO TYLKO MOJA WINA.

DZIĘKUJĘ, ŻE MI POWIEDZIAŁAŚ, ASTRID. I CIESZĘ SIĘ, ŻE NIC CI SIĘ NIE STAŁO. MAM NADZIEJĘ, ŻE WIĘCEJ TEGO NIE ZROBISZ.

TO CHYBA ZNACZY, ŻE NIE MASZ JUŻ SZLABANU, NICOLE.

TRZASK!

POWINNAŚ CHYBA PRZEPROSIĆ TEŻ NICOLE, PRAWDA?

A MOGĘ TO ZROBIĆ NA OSO-BNOŚCI?

DOBRZE. IDŹ NA GÓRĘ.

PRZED WEJŚCIEM NA SCHODY ZDJĘŁAM BUTY. LEPIEJ NIE NARAŻAĆ SIĘ PANI B. MINUTĘ PO PRZEPROSINACH.

Nicole

TWARDA. SILNA. NIEUSTRA- SZONA.

PUK PUK

MOGĘ WEJŚĆ?

OKEJ.

PRZYSZŁAŚ ZNÓW CZYMŚ WE MNIE RZUCIĆ?

TO PYTANIE WYRWAŁO MI SIĘ, ZANIM ZDĄŻYŁAM POMYŚLEĆ.

CZEMU NA MNIE NIE DONIOSŁAŚ?

MYŚLAŁAM, ŻE MIAŁAŚ MNIE **PRZEPROSIĆ**.

WIEM, ALE... MUSZĘ TO WIEDZIEĆ.

BO TO BYŁO... DZIWNE. TE NASZE KŁÓTNIE. PRZYJAŹNIŁYŚMY SIĘ OD TAK DAWNA... I NAWET PO TYM WSZYSTKIM NIE POTRAFIŁAM NA CIEBIE DONIEŚĆ.

TO BYŁO NAJTRUDNIEJSZE PYTANIE NA ŚWIECIE.

CZEMU ZOSTAWIŁAŚ MNIE DLA RACHEL?

NIE **ZOSTAWIŁAM** CIĘ, ASTRID. NIEDŁUGO ZACZYNAMY GIMNAZJUM. NIE MA NIC ZŁEGO W TYM, ŻE POZNAJEMY NOWYCH PRZYJACIÓŁ.

NO TAK, ALE **RACHEL**?

MY PO PROSTU... LUBIMY TE SAME RZECZY. NO WIESZ, BALET I TANIEC.

I MOGĘ Z NIĄ ROZMAWIAĆ O CHŁOPCACH...

FUJ.

...NIE KOMENTUJE TEGO TAK DZIWNIE JAK TY.

HMMMM.

NICOLE SZYBKO SIĘ WKURZYŁA.

ZAWSZE ROBIŁYŚMY TO, CO TY CHCIAŁAŚ! JAK TE WROTKI. ALBO MUZEUM NAUKI. NIGDY NIE CHCIAŁAŚ ROBIĆ TEGO, CO JA LUBIĘ.

OCH.

PEWNIE DLATEGO, ŻE MOJE ZAINTERESOWANIA SĄ ZA „PŁYTKIE" I „NUDNE", CO?

NIE TO MIAŁAM NA MYŚLI.

TA. JASNE.

PO PROSTU... ZACHOWUJESZ SIĘ INACZEJ, KIEDY JESTEŚ Z RACHEL.

TY TEŻ JESTEŚ TERAZ INNA.

JAKBYŚ NIE ZAUWAŻYŁA.

CO CI SIĘ STAŁO W STOPY?

TO PRZEZ POINTY. PALCE MI KRWAWIĄ, WIĘC MUSZĘ OWIJAĆ JE PLASTREM.

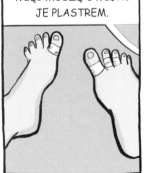

HEJ, JA TEŻ! PRZEZ WROTKI MAM OGROMNE ODCISKI.

TO TWOJE POINTY?

TAK.

BARDZO TO BOLI? TAŃCZENIE NA NICH?

CÓŻ, TAK. ALE TRZEBA TO WYTRZYMAĆ.

NIE SĄDZIŁAM, ŻE BALET JEST TAKI HARDCOROWY.

NIGDY NIE PYTAŁAŚ.

ASTRID? CZAS NA NAS! ZAJĘŁYŚMY JUŻ DOŚĆ CZASU!

OCH. CÓŻ. TO PA.

OKEJ. HM. PA.

A, NO I PRZEPRASZAM, ŻE NAKŁAMA-ŁAM O OBOZIE WROTKARSKIM!

W PRZEDSZKOLU NASZA NAUCZYCIELKA MIAŁA TAKI PLAKAT, DZIĘKI KTÓREMU DZIECI MIAŁY SIĘ UCZYĆ ROZPOZNAWAĆ SWOJE EMOCJE.

 SZCZĘŚLIWY

 SMUTNY

 ZMĘCZONY

 ZNIESMACZONY

 ZŁY

 ZAWSTYDZONY

 POGODNY

 PODEKSCYTOWANY

 CHORY

 NERWOWY

 ZNUDZONY

 WŚCIEKŁY

TO BYŁY PROSTE UCZUCIA. „SZCZĘŚLIWY", „SMUTNY"... WTEDY JESZCZE NAM NIE MÓWIONO, ŻE EMOCJE MOGĄ SIĘ ZE SOBĄ MIESZAĆ.

CZUŁAM SIĘ LEPIEJ... ALE NIE ŚWIETNIE. NADAL BYŁAM ZŁA NA NICOLE... CHOĆ ZROZUMIAŁAM, ŻE JA TEŻ NIE BYŁAM FAIR. CIESZYŁAM SIĘ, ŻE POROZMAWIAŁYŚMY... ALE BYŁO MI SMUTNO, BO WSZYSTKO SIĘ ZMIENIŁO.

BYŁAM SZMUTNA.

SZCZĘŚLIWA + SMUTNA = SZMUTNA

Rozdział ✦ 14

NASTĘPNEGO RANKA CZUŁAM SIĘ...

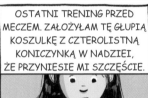

CHORA + NERWOWA = CHORWOWA

OSTATNI TRENING PRZED MECZEM. ZAŁOŻYŁAM TĘ GŁUPIĄ KOSZULKĘ Z CZTEROLISTNĄ KONICZYNKĄ W NADZIEI, ŻE PRZYNIESIE MI SZCZĘŚCIE.

MOŻE TO PODZIAŁAŁO, BO KIEDY WESZŁAM DO HALI, OD RAZU ZAUWAŻYŁAM LIŚCIK. NIE PISAŁAM DO TĘCZY JUŻ OD WIEKÓW.

Paczkofiaro, Gratulacje! Słyszałam, że wszystkie nowe Paczki zagrają jutro wieczorem. Napisz, jak masz na imię, to zrobię plakat, żeby cię wspierać!
– Tęcza

P.S. Na pewno jesteś teraz przerażona i masz ochotę uciekać. Ale pamiętaj, nigdy nie uciekaj przed strachem! Pogódź się z nim. I uwierz mi...

...o to, co najlepsze w życiu, warto zawalczyć.

DZIEWCZYNY, PONIEWAŻ JEST TO NASZ OSTATNI TRENING PRZED MECZEM, NAJPIERW TROCHĘ SIĘ POOBIJAMY, A PÓŹNIEJ URZĄDZIMY SOBIE MAŁE PRZYJĘCIE!

SUPER!

HURA!

PRZYSŁANO NAM WASZE KOSZULKI NA MECZ. KUPIŁYŚMY FARBY DO TKANIN I MARKERY, ŻEBYŚCIE MOGŁY JE OZDOBIĆ.

NO! TO ZBIERAĆ SIĘ W DRUŻYNY I RUSZAMY!

PO TYGODNIACH CIĘŻKIEGO TRENINGU...

I DODATKOWYCH ĆWICZEŃ...

...ŁEZ, KRWI I POTU...

...MOGĘ POWIEDZIEĆ, ŻE...

...DALEJ BYŁAM KIEPSKA.

UPS

ECHH

HEH, HEH.

JEDNAK CIESZYŁAM SIĘ, ŻE BYŁAM TYLKO OBROŃCZYNIĄ. PRZYNAJMNIEJ MOGŁAM WMIESZAĆ SIĘ W TŁUM. NIKT NIE ZAUWAŻY, JEŚLI COŚ POPSUJĘ.

ZA TO KIEDY SIĘ ŚCIGA...

WSZYSTKIE OBROŃCZYNIE CHCĄ TWOJEJ KRWI.

BUM!

JESTEŚ SAMA NA TORZE... A SETKI OSÓB PATRZĄ...

...TYLKO NA CIEBIE.

SPOJRZAŁAM NA MINĘ ZOEY I ZROZUMIAŁAM, CO CZUJE.

PRZERAŻONA + CHORA = PRZERAŻONE ZOMBIE

GWIZD GWIZD!

OKEJ, STARCZY! CZAS NA PIZZĘ I TROCHĘ ZABAWY!

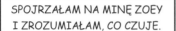

ZOEY? JUTRO PÓJDZIE CI ŚWIETNIE, ZOBACZYSZ.

TAA...

MÓWIĘ SERIO. BĘDZIE DOBRZE. ZASŁUŻYŁAŚ NA BYCIE ŚCIGAJĄCĄ.

NIE **WIDZIAŁAŚ**, JAK GRAM?! JESTEM OKROPNA. NIE WIEM, DLACZEGO MNIE WYBRALI.

ZOEY...

JUŻ NIEWAŻNE.

PRÓBOWAŁAM DOBRZE SIĘ BAWIĆ... ALE TO TRUDNE, KIEDY ZOEY WYGLĄDAŁA TAK SMUTNO.

DOSTAŁYŚMY NASZE KOSZULKI.

SUPER!

ASTRID, JAKI MASZ PSEUDONIM?

OCH!... NIE MAM POJĘCIA.

PRZEZ TO WSZYSTKO... ZUPEŁNIE ZAPOMNIAŁAM, ŻE MUSZĘ WYBRAĆ SOBIE PSEUDONIM NA JUTRO!

MOŻE DIABEŁEK?

SZYBKA SUZY!

DZIKI ORZEŁ?

TO DOBRE POMYSŁY... ALE NIE NAJLEPSZE. SAMA MUSIAŁAM COŚ WYMYŚLIĆ.

DOBRA, DZIEWCZYNY, CZAS NA NAS! BĄDŹCIE TU JUTRO O 17:00. MECZ DOROSŁYCH ZACZYNA SIĘ O 18:00. WY ZAGRACIE W POŁOWIE, CZYLI OKOŁO 18:45.

PRZEZ CAŁY DZIEŃ PIJCIE DUUUŻO WODY I JEDZCIE POSIŁKI BOGATE W BIAŁKO.

I PAMIĘTAJCIE – NIEWAŻNE, CZY WYGRACIE, CZY NIE... PO PROSTU DOBRZE SIĘ BAWCIE!

PRZY WYJŚCIU PODEJDŹCIE DO NAPOLEONA! DOSTANIECIE PO TRZY DARMOWE BILETY DLA WASZEJ RODZINY I PRZYJACIÓŁ.

ZOEY! CHCIAŁAM TYLKO POWIEDZIEĆ...

NAGLE ZROZUMIAŁAM, ŻE NIE MAM NIC DO POWIEDZENIA. ALE MOGŁAM COŚ **ZROBIĆ**.

BIIIIP BIIIIP!

ASTRID, SZYBKO! ZA 20 MINUT MUSZĘ WRÓCIĆ DO PRACY!

ZAPOMNIAŁAM CZEGOŚ! WRÓCĘ ZA DWIE SEKUNDY!

ASTRID! POŚPIESZ SIĘ!

Droga Tęczo,
dziękuję za wszystkie listy,
zachowam je sobie na zawsze.
Jeśli chodzi o plakat,
to wolałabym na razie
pozostać anonimowa.
Ale gdybyś zechciała zrobić
plakat dla Nędzniczki,
na pewno podniosłoby
to ją na duchu.

Z poważaniem
Pączkofiara

TO NIC WIELKIEGO...
ALE MOŻE POMOŻE.

POZA TYM NIE CHCIAŁAM, ŻEBY TĘCZA
ZOBACZYŁA, JAK OKROPNIE GRAM.

WSPOMINAŁAM JUŻ, ŻE NIE DO KOŃCA MI SIĘ UPIEKŁO, PRAWDA?

MAMA POWIEDZIAŁA, ŻE NIE MOGĘ JUŻ ZOSTAWAĆ W DOMU SAMA, WIĘC **DO KOŃCA LATA** MUSIAŁAM SPĘDZAĆ Z NIĄ W PRACY WSZYSTKIE POPOŁUDNIA!

MAMA PRACUJE JAKO BIBLIOTEKARKA NA POBLISKIM UNIWERSYTECIE.

LUBI TĘ PRACĘ, ALE PRZEDE WSZYSTKIM PRACUJE TAM, ŻEBYM MOGŁA PÓŹNIEJ PÓJŚĆ NA TĘ UCZELNIĘ ZA DARMO. MAM O TYM PAMIĘTAĆ, KIEDY BĘDZIE STARA, SIWA I POMYŚLĘ, BY ODDAĆ JĄ DO DOMU STARCÓW.

NAWET W NAJLEPSZE DNI W BIBLIOTECE NIE ROI SIĘ OD LUDZI... A LATEM NIE MA TAM PRAWIE NIKOGO.

ECH...

ZOSTAŃ TUTAJ, DOBRZE? KOŃCZĘ O 16:00. PRZYJDĘ DO CIEBIE W CZASIE PRZERWY.

SIEDZENIE W CICHEJ BIBLIOTECE PRZEZ CZTERY GODZINY DAJE CZŁOWIEKOWI DUŻO CZASU NA ROZMYŚLANIA. ZUPEŁNIE JAK CZYŚCIEC. ALBO WIĘZIENIE.

O DZIWO JEDNAK NIE MYŚLAŁAM O WIELKIM MECZU, KTÓRY MNIE CZEKAŁ, ANI O PSEUDONIMIE... TYLKO O ZOEY.

CZY NAPRAWDĘ BYŁAM TAK KIEPSKĄ PRZYJACIÓŁKĄ? NIE UMIAŁAM NAWET JEJ POCIESZYĆ.

I CO MÓWIŁA NICOLE? ŻE NIE OBCHODZIŁY MNIE RZECZY, KTÓRE LUBIŁA?

CZY RAZEM Z RACHEL NAPRAWDĘ CHCIAŁA SIĘ NA MNIE ZEMŚCIĆ? RACZEJ NIE... CHOCIAŻ PRZY TAKIM CWANYM LISIE JAK RACHEL NIGDY NIE WIADOMO...

MIAŁAM W GŁOWIE ZBYT WIELE SPRZECZNYCH MYŚLI. MUSIAŁAM SIĘ RUSZYĆ. NAGLE ZROZUMIAŁAM, DLACZEGO WIĘŹNIOWIE CIĄGLE PODNOSZĄ CIĘŻARY.

SĄDZĄC PO ZAWARTOŚCI BIBLIOTEKI, STUDIA NIE BĘDĄ ZABAWNE. NIE BYŁO TAM ŻADNYCH KSIĄŻEK DLA DZIECI ANI KOMIKSÓW...

TYLKO WIELKIE, ZAKURZONE TOMY Z 1875 ROKU O TAK EKSCYTUJĄCYCH TYTUŁACH JAK MIKROBIOLOGIA ALBO EGZYSTENCJALIZM, ALBO...

HISTORIA TEATRU?

KSIĄŻKA Z WIELKIMI ZDJĘCIAMI HUGH JACKMANA?! ZOEY BYŁABY **ZACHWYCONA**.

NAGLE WPADŁAM NA POMYSŁ. I TO ŚWIETNY.

MAMO? MOGĘ POŻYCZYĆ KLEJ? I NOŻYCZKI? A, I JESZCZE MARKER?

A GDZIE TWOJE MANIERY? PRZYWITAJ SIĘ Z PANIĄ KEMP.

ASTRID! ALEŚ TY UROSŁA!

...CZY TO KOSZULKA...

PROSZĘ, SKARBIE. WRACAJ NA GÓRĘ. NIEDŁUGO DO CIEBIE ZAJRZĘ.

POPYCH

POZDROWIENIA Z ZIELONEJ IRLANDII, PANI KEMP!

ZOSTAŁO MI JESZCZE 4 DOLARY I 75 CENTÓW KIESZONKOWEGO, KTÓREGO MAMA ZAPOMNIAŁA MI ZABRAĆ W RAMACH KARY. ODBITKI KOSZTOWAŁY 2 CENTY, WIĘC MOGŁAM ZROBIĆ ICH DOKŁADNIE...

KSERO 0,02 $

...BARDZO DUUUŻO.

W DOMU MIAŁAM MNÓSTWO DREWNIANYCH PATYCZKÓW, WIĘC POSTANOWIŁAM DOKOŃCZYĆ PRACĘ PO POWROCIE. CZEKAŁA MNIE DŁUGA, PRACOWITA NOC.

GOTOWA?

O JEJKU, A CO TY WYPRAWIASZ?

MOŻEMY WSTĄPIĆ GDZIEŚ PO DRODZE? TO BARDZO WAŻNE.

WRACAJĄC DO DOMU NA WROTKACH, NAUCZYŁAM SIĘ ORIENTACJI W TERENIE.

SKRĘĆ W LEWO... TAK, TO NA KOŃCU TEJ ULICY.

REEDWAY

ZARAZ WRÓCĘ.

ZAMKNIJ SIĘ, ZOEY!

ZŁAŹ ZE MNIE!

DING-DONG

OTWORZĘ!

ŻEBY PRZESTRA-SZYĆ GOŚCI SWOJĄ TWARZĄ? **JA** OTWORZĘ!

OKEJ, MAMO, GAZ DO DECHY!

ZOEY? KTOŚ ZOSTAWIŁ DLA CIEBIE DZIWNĄ LALECZKĘ VOODOO.

Hugh Jackman mówi: Jutro pójdzie Ci świetnie!

MAMO? MOŻEMY ZROBIĆ JESZCZE JEDEN PRZYSTANEK?

PO KILKU MINUTACH BYŁYŚMY NA MIEJSCU.

JESTEM Z CIEBIE DUMNA, SKARBIE. NA PEWNO NIE CHCESZ, ŻEBYM Z TOBĄ POSZŁA?

NIE. MUSZĘ TO ZROBIĆ SAMA.

SZCZERZE MÓWIĄC, NIE CHCIAŁAM TEGO ROBIĆ, ALE NIE POTRAFIŁAM ZAPOMNIEĆ O LIŚCIKU OD TĘCZY. MOGŁAM UCIEKAĆ OD STRACHU I PRZECIWNOŚCI...

...ALBO NARESZCIE STAWIĆ IM CZOŁO.

NICOLE! RACHEL!

A CO **TY** TUTAJ ROBISZ?! KAZAŁAM CI TRZYMAĆ SIĘ OD NAS Z DALEKA! MAM CI ZAŁATWIĆ ZAKAZ ZBLIŻANIA SIĘ?

MAM DWA DARMOWE BILETY NA MECZ ROLLER DERBY JUTRO WIECZOREM. I... CHCIAŁAM WAM JE DAĆ. POGODZIMY SIĘ?

POGODZIMY? PO TYM, CO NAM ZROBIŁAŚ? MÓWISZ SERIO? I PO CO MIAŁYBYŚMY IŚĆ NA TWÓJ GŁUPI...

NAGLE TO USŁYSZAŁAM. NAJPIĘKNIEJ-SZY DŹWIĘK NA ŚWIECIE. GŁOS NICOLE PRZERYWAJĄCEJ RACHEL W PÓŁ SŁOWA.

DZIĘKI, ASTRID. TO... BARDZO MIŁE Z TWOJEJ STRONY.

JASNE. NO I... PRZYJDĘ NA TWÓJ POKAZ W PRZYSZŁYM TYGODNIU. TO NIE ZNACZY, ŻE MUSISZ JUTRO BYĆ CZY COŚ... PO PROSTU CHCIAŁAM CI TO POWIEDZIEĆ.

NO TO... DO ZOBACZENIA.

TAK. DO ZO-BACZENIA.

MOŻE TO BYŁ GŁUPI POMYSŁ. MOŻE POWINNAM BYŁA WRĘCZYĆ IM ZGNIŁE JAJA I POMIDORY, ŻEBY MIAŁY CZYM WE MNIE RZUCAĆ. ALE BEZ WZGLĘDU NA TO, CO MIAŁO STAĆ SIĘ NAZAJUTRZ...

...POCZUŁAM, ŻE TEGO DNIA COŚ WYGRAŁAM.

WYNIK:
JA: 1
RACHEL: 0

ROZDZIAŁ 15

NASTĘPNEGO PORANKA NIE ZERWAŁAM SIĘ Z ŁÓŻKA. MÓJ ŻOŁĄDEK SKRĘCAŁ SIĘ Z NERWÓW I EKSCYTACJI. TAK, TO TEN DZIEŃ. W KOŃCU NADSZEDŁ DZIEŃ MECZU!

POPRZEDNIEGO WIECZORA NIE SPAŁAM AŻ DO PÓŁNOCY. PRACOWAŁAM NAD TAJNYM PROJEKTEM... PRZEZ CO ZUPEŁNIE ZAPOMNIAŁAM O PSEUDONIMIE.

LEŻĄC, PATRZYŁAM W SUFIT, JAKBYM SZUKAŁA ODPOWIEDZI W NAMALOWANYM KOSMOSIE.

TEGO LATA WIELE SIĘ ZMIENIŁO. NIE CZUŁAM SIĘ JUŻ JAK JEDNA Z TYCH PLANET KRĄŻĄCA PO ORBICIE RAZEM Z NICOLE I MAMĄ.

ALE MOŻE NIE BYŁAM TEŻ SAMOTNĄ GOLFOWĄ PIŁECZKĄ.

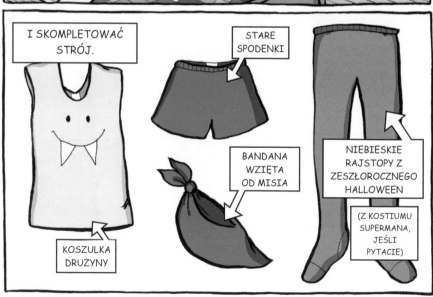

I POWIEDZIAŁAM COŚ, CZEGO BYM SIĘ PO SOBIE NIE SPODZIEWAŁA...

MAMO?

POMOŻESZ MI Z MAKIJAŻEM?

MAMA PRZYBIEGŁA W 1,7 SEKUNDY.

CUDOWNIE! W KOŃCU MOGĘ POMALOWAĆ SWOJĄ CÓRECZKĘ!

POSTARAJ SIĘ NAKŁADAĆ CZARNĄ KREDKĘ JAK NAJBLIŻEJ LINII RZĘS.

MALUJĄC RZĘSY TUSZEM, OTWÓRZ OCZY **NAPRAWDĘ** SZEROKO.

NAJWAŻNIEJSZE TO WYGLĄDAĆ NATURALNIE.

NATURALNIE. JASNE. A TERAZ... POKAŻESZ MI, JAK WYGLĄDAĆ JAK KRWIOŻERCZY WAMPIR?

ACH...

KIEDY DOTARŁYŚMY NA MIEJSCE, PRZESTRASZYŁAM SIĘ NIE NA ŻARTY. NIE SPODZIEWAŁAM SIĘ TAKIEGO TŁUMU!

. ZOBACZYŁAM WOLONTARIUSZY, ORGA-NIZATORÓW I DOROSŁE ZAWODNICZKI

...ALE NIE ZOEY.

WIDZIMY SIĘ NA ZEW-NĄTRZ ZA 15 MINUT! PRZEKAŻ RESZCIE.

HEJ! FAJNY PSEUDONIM... ASTEROIDO.

MIAŁAM TYLKO 15 MINUT NA WPROWADZENIE W ŻYCIE MOJEGO TAJNEGO PLANU.

MUSIAŁAM ZACZĄĆ NATYCHMIAST, ZANIM KTOŚ ZAPYTAŁBY, CO ROBIĘ.

CZEŚĆ! MOŻECIE TO ROZDAĆ? TO NA PRZERWĘ W MECZU.

HEJ! NA PRZERWĘ W MECZU!

PODAJCIE DALEJ! REKWIZYTY NA PRZERWĘ!

WCIĄŻ NIE WIDZIAŁAM ZOEY... **ANI** NICOLE.

ZA TO WIDZIAŁAM MAMĘ. **BARDZO** WYRAŹNIE.

ASTRID! ASTRID, KOTKU! JESTEM TUTAJ!

ROZDAŁAM RESZTĘ REKWIZYTÓW I RUSZYŁAM DO ŁAZIENKI, PO RAZ SETNY TEGO DNIA.

TOALETY

A CO TO, DO LICHA, JEST?!

ZGADNIJCIE, KOGO TAM ZNALAZŁAM...

ZOEY?

NIE DAM RADY. NIE JESTEM GOTOWA. WIDZIAŁAŚ, ILE TAM JEST LUDZI?

JESTEŚ GOTOWA! PRACOWAŁAŚ PO ZAJĘCIACH PRZEZ CAŁE DWA TYGODNIE! **DASZ RADĘ!**

NIE WYGLĄDAŁA NA PRZEKONANĄ.

OKEJ, SŁUCHAJ... POMYŚL O TYM JAK O WYSTĘPIE! NAWET JEŚLI COŚ CI NIE WYJDZIE... WYKORZYSTASZ TO DOŚWIADCZENIE W SWOJEJ KARIERZE AKTORSKIEJ, NIE?

TO BYŁA PEWNIE NAJGORSZA RADA NA ŚWIECIE.. ALE O DZIWO...

HEJ! W SUMIE RACJA. PRZEDSTAWIENIE MUSI TRWAĆ, PRAWDA?

POZA TYM HUGH JACKMAN WE MNIE WIERZY.

CZEKAŁAM AŻ OPŁUCZE TWARZ, PO CZYM PODAŁAM JEJ CAŁĄ GARŚĆ PAPIEROWYCH RĘCZNIKÓW.

GOTOWA?

ROZDZIAŁ 16

NASZE TRENERKI POPROSIŁY, ŻEBYŚMY W RAMACH ROZGRZEWKI POJEŹDZIŁY TROCHĘ NA PARKINGU PRZED HALĄ.

PEWNIE UZNAŁY, ŻE Z DALEKA OD TŁUMU BĘDZIEMY SIĘ MNIEJ STRESOWAĆ.

TAAAK!

HURRA!

ZANIM SIĘ ZORIENTOWAŁAM...

OKEJ, ZOSTAŁO WAM 5 MINUT DO WEJŚCIA.

DRUŻYNA *KRWIOPI-JEK* NA TĘ STRONĘ.

DRUŻYNA *CZARNA ŚMIERĆ* NA TAMTĄ.

KIEDY WAS WYWOŁAM, ZROBICIE JEDNO WSPÓLNE OKRĄŻENIE I POMACHACIE DO PUBLICZNOŚCI, A POTEM USIĄDZIECIE NA SWOICH ŁAWKACH.

O RANY. TO JUŻ. TO NAPRAWDĘ SIĘ DZIEJE. TO...

JAKIM CUDEM PIPI UDERZANKA W MAKIJAŻU WYGLĄDA **JESZCZE STRASZNIEJ**?

RÓŻYCZKI KOŃCZĄ PIERWSZĄ POŁOWĘ NA PROWADZENIU Z WYNIKIEM 79 DO 43! ALE NIGDZIE NIE ODCHODŹCIE, KOCHANI! ŁAPCIE ZA PRZEKĄSKI I SIADAJCIE Z POWROTEM, BO OTO PRZED WAMI JESZCZE WIĘCEJ ZAWODNICZEK ROLLER DERBY!

PRZEDSTAWIAMY NOWE POKOLENIE RÓŻYCZEK Z ROSE CITY... OTO **PĄCZKI RÓŻ**! TE WROTKARKI MAJĄ ZALEDWIE OD 12 DO 17 LAT, ALE JUŻ TERAZ SĄ GOTOWE DO WALKI!

PANIE I PANOWIE, PIERWSZA DRUŻYNA NASZEGO SPECJALNEGO, DODATKOWEGO MECZU TO... **CZARNA ŚMIERĆ**!

A OTO ICH PRZECIWNICZKI, W NIEBIESKICH KOSZULKACH...

NASZA KOLEJ...

KRWIOPIJKI!

FLESZE APARATÓW WYGLĄDAŁY JAK GWIAZDY NA NIEBIE. TO BYŁ NAJLEPSZY MOMENT MOJEGO ŻYCIA...

WOOOW!

KLASK!

SUPER!

BRAWO!

SUPER!

...DO CZASU.

KRWIOPIJKI! CHODŹCIE TU! CZAS NA NASZ WIWAT!

RAZ, DWA, TRZY...

KRWIO-PIJ-KI!

A TERAZ POKAŻCIE BOJOWE MINY!

AAAAAAAAACHHHHHHHH!!!!!

DOBRZE! RUSZAJCIE NA TOR! CHCĘ BYĆ Z WAS DUMNA!

ZOEY! TO ZNACZY NĘDZNICZKO! JESTEŚ PIERWSZĄ ŚCIGAJĄCĄ. ASTEROIDO, ZAGRASZ W OBRONIE. RUSZAJCIE!

MOJE PIERWSZE OKRĄŻENIE W PRAWDZIWEJ GRZE! MOJE PIERWSZE...

BUM!

MOŻE SIĘ ZASTANAWIACIE... JAK TO JEST UPAŚĆ NA TYŁEK NA OCZACH 500 LUDZI?

ODPOWIEDŹ: ZASKAKUJĄCO... NIE TAK ŹLE!

NO, CHOCIAŻ **TO** MAM JUŻ ZA SOBĄ!

PĄCZKI USTAWIAJĄ SIĘ DO PIERWSZEJ RUNDY! NA LINII ŚCIGAJĄCYCH WIDZIMY NĘDZNICZKĘ Z DRUŻYNY KRWIOPIJEK ORAZ THRILLĘ GODZILLĘ Z CZARNEJ ŚMIERCI!

KIEDY RUSZYŁYŚMY... TŁUM ZNIKNĄŁ I BYŁO TAK JAK NA TRENINGACH.

DOKŁADNIE JAK NA TRENINGACH.

KILKA RZECZY ZROBIŁAM JEDNAK DOBRZE!

NP. ZOSTAŁAM NA TORZE.

...RAZ ŁADNIE ZABLOKOWAŁAM BIODREM ŚCIGAJĄCĄ...

...I UDAŁO MI SIĘ UNIKNĄĆ CIOSÓW PIPI UDERZANKI.

GULP

ZOEY TEŻ SZŁO CAŁKIEM DOBRZE!

...PRZEWAŻNIE.

Czarna śmierć	Krwiopijki
85	81

Pozostały czas: 0:45

PRZEZ CAŁY CZAS WYNIK BYŁ BARDZO ZBLIŻONY! I CO DZIWNE... DOBRZE SIĘ **BAWIŁAM**!

ŁOO!

SUPER!

TAK DOBRZE, ŻE ZANIM SIĘ OBEJRZAŁAM...

TRENERKA KRWIOPIJEK PROSI O CZAS!
CZARNA ŚMIERĆ MA 85 PUNKTÓW,
KRWIOPIJKI 81, A DO KOŃCA MECZU
ZOSTAŁA MNIEJ NIŻ MINUTA...

...BĘDZIE TO PEWNIE OSTATNIE
OKRĄŻENIE MECZU!

DZIEWCZYNY, TO JEST TO.
OSTATNIE OKRĄŻENIE.
BRAKUJE NAM TYLKO CZTERECH
PUNKTÓW. MOŻEMY **WYGRAĆ**.

W OBRONIE CHCĘ MIEĆ DRACULOLĘ, RUTH,
PANDEMONIUM I ASTEROIDĘ.
NĘDZNICZKA BĘDZIE ŚCIGAĆ.

GULP

NIE TRAĆCIE GŁOWY. DAMY RADĘ!
RÓBCIE TAK, JAK ĆWICZYŁYŚMY
NA TRENINGACH, OKEJ?

RAZ, DWA,
TRZY...
KRWIO-PIJ-KI!

PO RAZ OSTATNI USTAWIŁAM SIĘ NA TORZE I...

STAŁAM AKURAT OBOK PIPI UDERZANKI.

WYGRYWAMY, PROSIACZKU. A TY NAM W TYM NIE PRZESZKODZISZ!

WYGLĄDA NA TO, ŻE OSTATNIMI ŚCIGAJĄCYMI BĘDĄ NĘDZNICZKA I THRILLA GODZILLA!

GWIZD!

OOOCH, THRILLA OD RAZU SPYCHA NĘDZNICZKĘ Z TORU! ALE... ZARAZ...

GWIZD!

SĘDZIA ZADECYDOWAŁ, ŻE THRILLI NALEŻY SIĘ **KARA**!

ZAWODNICZKA USIĄDZIE NA ŁAWCE NA CAŁĄ **MINUTĘ**!

TO DAJE KRWIOPIJKOM IDEALNĄ OKAZJĘ DO WYGRANEJ! NĘDZNICZKA ZOSTAJE JEDYNĄ ŚCIGAJĄCĄ I **TYLKO ONA MOŻE ZDOBYWAĆ PUNKTY**! WSZYSTKO MOŻE SIĘ JESZCZE ODMIENIĆ!

MINĘŁA WATAHĘ PO RAZ PIERWSZY! PAMIĘTAJMY JEDNAK, ŻE ABY ZDOBYĆ PUNKTY, MUSI TO ZROBIĆ DRUGI RAZ. MIJA DRUGI ZAKRĘT...

DOBRZE, KWIOPIJKI! UDERZAJCIE! DAJMY ZOEY PRZEDOSTAĆ SIĘ PRZEZ WATAHĘ! JEŚLI ZDOBĘDZIE PUNKTY, TO WYGRAMY!

...I JEST ZA WATAHĄ! TERAZ MOŻE ZDOBYWAĆ PUNKTY!

UDERZ KOGOŚ, ASTEROIDO!

UDERZ KOGOŚ, ASTEROIDO!

KRWIOPIJKI STARAJĄ SIĘ POMÓC NĘDZNICZCE... ALE TA UTKWIŁA ZA PLECAMI PIPI UDERZANKI!

A PIPI TO NAPRAWDĘ **OSTRA** ZAWODNICZKA! **NIE POZWOLI** NĘDZNICZCE SIĘ WYMINĄĆ!

BUM!

WZIUP

TO MA BYĆ UDERZENIE, PROSIAKU?

O NIE.

AAAAAAAAAAA!

UUUUUU! ASTEROIDA ODEBRAŁA **NAPRAWDĘ** MOCNY CIOS! PIPI UDERZANKA WYSŁAŁA JĄ POZA ORBITĘ!

I WTEDY ZOBACZYŁAM TO Z PODŁOGI...

ALE CZEKAJCIE! PANIE I PANOWIE! KIEDY PIPI ZAJĘŁA SIĘ ASTEROIDĄ, NĘDZNICZKA ZDOŁAŁA JĄ WYMINĄĆ!

MIJA ŁYSO-CI-TERAZ! MIJA REVOLLERKĘ!

JESZCZE JEDNA WROTKARKA I...

UDAŁO JEJ SIĘ!

NĘDZNICZKA WYGRYWA MECZ DLA KRWIOPIJEK! OSTATECZNY WYNIK TO: KRWIOPIJKI 86, CZARNA ŚMIERĆ 85!

UUUFF!

PATRZYŁAM, JAK DRUŻYNA BIEGNIE DO ZOEY, TULI JĄ, WIWATUJE...

...A POTEM ZOBACZYŁAM, JAK ZOEY BIEGNIE DO MNIE.

HEJ, ŻYJESZ?

KOSTKA TROSZKĘ MNIE BOLI... ALE CHYBA JEST OKEJ.

WIDZISZ, HEIDI? CZEGOŚ SIĘ NAUCZYŁAM. JA...

TAK, ŁADNIE UPADŁAŚ, WIDZIAŁAM. NIE BYŁABYŚ SOBĄ, GDYBYŚ CHOĆ RAZ NIE PRZYPRAWIŁA MNIE O ZAWAŁ, CO? MOŻESZ WSTAĆ?

RACZEJ TAK.

ZOEY, POMÓŻ JEJ DOJŚĆ DO ŁAWKI PIERWSZEJ POMOCY.

PANIE I PANOWIE...

...WZNIEŚMY OKRZYK NA CZEŚĆ ASTEROIDY! DZIEWCZYNY SĄ MŁODE, ALE TAK SAMO TWARDE JAK WSZYSTKIE WROTKARKI!

WOOW!

BRAWO!

WŁAŚNIE ZACZYNAŁA SIĘ DRUGA CZĘŚĆ MECZU RÓŻYCZEK. ZOEY SIEDZIAŁA ZE MNĄ KIEDY BADALI MNIE LEKARZE.

AUĆ!

MAMA TEŻ ZE MNĄ BYŁA...

...OCZYWIŚCIE.

MOJE BIEDNE MALEŃSTWO!

MAMO! NIC MI NIE JEST! JUŻ NIE BOLI.

WYGLĄDA MI TO NA LEKKIE ZWICHNIĘCIE. SIEDŹ TU I TRZYMAJ LÓD PRZY KOSTCE, OKEJ?

OKEJ.

DRUGĄ POŁOWĘ MECZU OGLĄDAŁYŚMY WIĘC Z BOKU, A TO NAJLEPSZE MIEJSCA NA HALI!

DALEJ, TĘCZO! DALEJ!

RANY, **WIDZIAŁAŚ** TO?

ALE TO BYŁO **SUPER**! MUSZĘ SIĘ TEGO NAUCZYĆ!

BRAWO!

PANIE I PANOWIE, TĘCZA KOŃCZY MECZ Z WYNIKIEM 204 PUNKTÓW DLA PORTLAND. SEATTLE PRZEGRYWA Z WYNIKIEM 117!

TĘCZA, SUPER!

PORTLAND WKRACZA NA TOR, BY WYKO-NAĆ SWOJE ZWYCIĘSKIE OKRĄŻENIE!

PĄCZKI! HEJ, PĄCZKI! CHCECIE DOŁĄCZYĆ DO OKRĄŻENIA?!

HOP

PO ZWYCIĘSKIM OKRĄŻENIU WRÓCIŁAM DO DRUŻYNY.

TO BYŁO **NIESAMOWITE**, ASTEROIDO!

NIGDY NIE WIDZIAŁAM, ŻEBY KTOŚ TAK OBERWAŁ.

HEJ, PROSIACZKU... DOBRZE, ŻE JESTEŚ CAŁA.

AU!

NĘDZNICZKA! MOŻEMY DOSTAĆ AUTOGRAF?

OCH... JASNE! PEWNIE!

PRZEPRASZAM, ASTEROIDO?

MOGŁABYŚ PODPISAĆ PROGRAM DLA MOJEJ WNUCZKI?

PAN RANDOLPH? ZE SKLEPU?

CODZIENNIE PATRZYŁEM NA TWOJĄ ULOTKĘ I MUSIAŁEM SPRAWDZIĆ, O CO CHODZI W TYM WROTKARSTWIE! POZA TYM POMYŚLAŁEM, ŻE BYŁABYŚ DOBRYM WZOREM DLA EMMY.

UMIEM JEŹDZIĆ NA WROTKACH!

NAPRAWDĘ? A CHCIAŁABYŚ GRAĆ W ROLLER DERBY?

TAK!

CÓŻ, TO CIĘŻKA PRACA... ALE TEŻ SUPER ZABAWA!

EMMY, CO SIĘ MÓWI?

DZIĘKUJĘ!

A POTEM, GDZIEŚ W TŁUMIE...

...ZOBACZYŁAM JĄ.

WSZYSTKO OKEJ? CHCIAŁAM PRZYJŚĆ WCZEŚNIEJ, ALE TATA SIĘ NIE ZGODZIŁ.

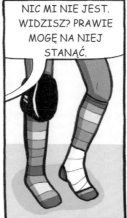

NIC MI NIE JEST. WIDZISZ? PRAWIE MOGĘ NA NIEJ STANĄĆ.

FAJNE SKARPETKI!

DZIĘKI.

DZIEŃ DOBRY, PANIE B.! CZEŚĆ, ADAM.

STARA! GDY TAK LECIAŁAŚ W POWIETRZU, BYŁEM PEWNY, ŻE POŁAMIESZ KRĘGOSŁUP...

...TO BYŁO ŚWIETNE!

WIĘC... RACHEL NIE PRZYSZŁA?

NIE, ONA... BYŁA ZAJĘTA. ALE ADAM CHCIAŁ PRZYJŚĆ, WIĘC...

NO I... TERAZ MYŚLĘ, ŻE TO GŁUPIE, ALE... KUPIŁAM CI KWIATY.

NIE, JA... PODO-BAJĄ MI SIĘ!

NO... TO NA NAS JUŻ PORA. CHYBA ŻE CHCESZ IŚĆ Z NAMI NA KOLACJĘ?

NICOLE OD ZAWSZE BYŁA MOJĄ NAJLEPSZĄ PRZYJACIÓŁKĄ. ODKĄD PAMIĘTAM, WSZYSTKO ROBIŁYŚMY RAZEM...

A JEDNAK...

WIESZ...

CHYBA RACZEJ TU ZOSTANĘ.

Z MOJĄ DRUŻYNĄ.

OCH.

OKEJ.

PA, NICOLE!

TAK. PA, ASTRID.

ZABAWNE, ILE RZECZY
ZMIENIŁO SIĘ TEGO LATA.

KIEDYŚ WSZYSTKO BYŁO PROSTE.
CZARNO-BIAŁE.
RADOŚĆ KONTRA SMUTEK.
PRZYJACIELE KONTRA WROGOWIE.

TERAZ WSZYSTKO WYDAWAŁO SIĘ
TAKIE... ZŁOŻONE. BYŁAM NA NIEZNANYM
TERYTORIUM, NA ZIEMI NICZYJEJ.

I MUSIAŁAM ODNALEŹĆ
NA NIEJ WŁASNĄ ŚCIEŻKĘ.

ROZEJRZAŁAM SIĘ PO TŁUMIE I NAGLE
POCZUŁAM SIĘ... ZAGUBIONA. ZABRZMI
TO DZIECINNIE, ALE SPANIKOWAŁAM.

OCH!

MAMO?
ZOEY?

BYŁY TU MINUTĘ
TEMU...

TO MOJA SZANSA, ŻEBY Z NIĄ POROZMAWIAĆ! **NIE MOGŁAM** JEJ ZMARNOWAĆ. TWARDA. SILNA. NIEUSTRASZONA.

PRZEPRASZAM, TĘCZA?

„TO JA, PĄCZKOFIARA! TWOJA NAJWIĘKSZA FANKA, TA Z LISTÓW..."

UM... MOGŁABYM PROSIĆ O AUTOGRAF?

MAŁE KROKI.

JASNE!... JEŚLI JA DOSTANĘ TWÓJ!

MÓJ?

TWÓJ! BYŁAŚ NIESAMOWITĄ OBROŃCZYNIĄ! A JEŚLI NASTĘPNYM RAZEM UDA CI SIĘ W KOGOŚ TRAFIĆ, BĘDZIE JESZCZE LEPIEJ!

OKEJ!

MUSZĘ POĆWICZYĆ SWÓJ NOWY PODPIS.

Asteroida

MUSZĘ JUŻ LECIEĆ. UWAŻAJ NA KOSTKĘ, OKEJ?

JASNE!

OTWORZYŁAM PROGRAM NA STRONIE, KTÓRĄ PODPISAŁA.

Tylko prawdziwa bohaterka przyjmuje cios dla dobra drużyny, a potem pozwala komuś innemu stanąć w świetle reflektorów. Dziękuję za to, że mnie inspirujesz.

Twoja fanka
Tęcza

PRAWIE PRZEGAPIŁAM DOPISEK.

P.S. „Asteroida" to o wiele lepszy przydomek niż „Pączkofiara".

MRUG